CÓMO DISCIPLINAR
A SU HIJO

Dedicatoria

Dedicamos este libro a nuestros hijos, Christopher Wyckoff, Allison Wyckoff, Justin Alex Unell y Amy Elizabeth Unell, por sus desinteresadas (no solicitadas) e inapreciables contribuciones a este libro.

CÓMO DISCIPLINAR A SU HIJO

Opciones no violentas
para corregir al niño preescolar

Jerry Wyckoff, Ph.D.
y Barbara C. Unell

Traducción
Gisela W. de Rosas

Barcelona, Bogotá, Caracas, México, Miami,
Panamá, Quito, San Juan, Santiago.

Edición original en inglés:
DISCIPLINE WITHOUT SHOUTING OR SPANKING
de Jerry Wyckoff, Ph.D. y Barbara C. Unell.
Una publicación de Meadowbrook, Inc.
18318 Minnetonka Boulevard, Deephaven, Minnesota 55391, U.S.A.
Copyright © 1984 por Jerry Wyckoff y Barbara C. Unell.

Copyright © 1990 para todo el mundo de habla hispana
por Editorial Norma S. A.
Apartado Aéreo 53550, Bogotá, Colombia
Reservados todos los derechos.
Prohibida la reproducción total o parcial de este libro,
por cualquier medio, sin permiso escrito de la Editorial.

Directora editorial, María del Mar Ravassa G.
Editor, Armando Bernal M.
Jefe de edición, Nancy Z. de Ujfalussy
Directora artística, Mónica Bothe
Fotografía de cubierta, Hellen Karpf.

ISBN 958-04-0990-0

CARVAJAL S.A.
Impreso en Colombia
Printed in Colombia

Agradecimientos

Deseamos manifestarle a Tom Grady nuestra gratitud por su apoyo y su estímulo durante toda la creación de *Cómo disciplinar a su hijo*; asimismo, a las siguientes personas, sin las cuales este libro seguiría siendo una quimera: Ray Peekner; Robert Unell; Millie Wyckoff; Candace Hanlon; William Cameron, M.D.; Margaret Baldwin; el Club de Madres de Gemelos del Area Metropolitana de Kansas City; Linda Surbrook; Laura Bloent; Michelle Lange; Edie Nelson; Josephine B. Coleman; Valerie Bielsker; Kathy Mohn; Wilma Yeo; y a todos los padres que llamaron nuestra atención sobre sus problemas, y se tomaron el trabajo y tuvieron la tenacidad de resolverlos con nosotros.

Contenido

Prefacio

Todos los niños — y especialmente los preescolares — crean problemas de disciplina, no importa cuán perfectos sean los niños o los padres. Tanto los niños bien adaptados como los no tan bien adaptados de toda raza, color, credo, situación económica y posición social tienen necesidades y deseos, así como sus padres tienen deseos y expectativas para ellos. Cuando las necesidades y los deseos no encajan entre sí como las piezas de un rompecabezas, y los preescolares no están completamente de acuerdo con sus padres, surgen los problemas.

Pero los problemas abrumadores que enfrentan los padres en la formación de sus hijos a menudo se pueden minimizar, al menos, cuando los padres aprenden a armonizar sus habilidades de crianza con las necesidades de sus preescolares. Este libro ofrece soluciones prácticas para los problemas comunes de conducta de niños normales y saludables de uno a cinco años — soluciones que los padres o las personas a cuyo cuidado se encuentran pueden aplicar en el ardor de los conflictos que surgen durante el curso normal de la vida familiar. Nuestro propósito es mostrarles a los padres cómo reaccionar a los problemas de disciplina en forma serena, consecuente y eficaz — sin gritar ni pegar. Queremos convertir a los padres en "padres disciplinados" que puedan controlarse cuando sus hijos estén en un grado mínimo de control.

El enfoque que seguimos en este libro combina lo mejor de dos mundos, el profesional y el de los padres. Fue escrito por padres de niños que dan sus primeros pasos, de preadolescentes y de adolescentes, que respaldan con hechos la tarea de solucionar los problemas — datos profesionales e investigados, presentados sin jerga teórica. Durante los últimos veinte años, hemos estudiado colectivamente la psicología evolutiva e infantil a nivel universitario; hemos formado parte del personal de psicología en un hospital estatal para niños y hemos desempeñado el cargo de psicólogos en un importante distrito escolar suburbano; hemos dirigido numerosos grupos de padres, lo mismo que seminarios y talleres nacionales; hemos sido asesores de distritos escolares y de centros de salud mental; hemos enseñado psicología a nivel universitario; hemos escrito ampliamente sobre los padres y los niños; y hemos criado cuatro hijos en total.

Los principios de la solución de problemas y las estrategias disciplinarias que presentamos aquí se basan en datos derivados del movimiento de la psicología de la conducta [behaviorismo] de los años sesenta y setenta, que estudió la conducta de los niños en escenarios "reales" que eran comunes a la mayoría de los niños — el hogar, la escuela y los patios de recreo. La psicología de la conducta está orientada a presentar soluciones prácticas para problemas comunes y a medir la eficacia de tales soluciones.

Este libro está diseñado para que les sirva de referencia práctica a los padres que se enfrentan a diario con los problemas de la educación de los hijos — una especie de libro de primeros auxilios para corregir la mala conducta. Reconoce la necesidad que tienen los padres de brevedad, de urgencia y de respuestas directas y prácticas en lo relacionado con la educación de sus hijos. El libro da consejos sobre cómo evitar que surjan problemas de mala conducta y cómo resolverlos cuando se presentan. También presenta "historias de casos prácticos" que ilustran cómo algunas familias han usado las estrategias trazadas en el libro para manejar problemas reales.

Nota: Sírvase leer las fases del desarrollo (páginas 11 a 13) antes de aplicar lo que se debe hacer y lo que no se debe hacer. Esto le ayudará a entender las características generales de la conducta de los niños de uno a cinco años antes de considerar equivocadamente que estas características son anormales, o antes de culparse erróneamente usted mismo de haber causado la mala conducta de su hijo. Por ejemplo, para entender la motivación que se oculta tras el hecho de que su hijo de dos años siempre dice no, resulta útil saber que el negativismo es parte del comportamiento de un pequeño de dos años que se desarrolla normalmente. Esta información le ayudará a determinar si cierto tipo de conducta constituye un problema en su círculo familiar.

¿Quién es un preescolar?

Esos días y esas noches de asombrosa metamorfosis, durante

los cuales un niño de un año parece convertirse repentinamente en un adulto en miniatura de cinco años, son llamados en este libro los años preescolares. *Preescolar* significa un niño que todavía no ha estado expuesto a una experiencia escolar formal, e incluye a pequeños que dan sus primeros pasos, pero no a bebés.

Los recién nacidos y los bebés que tienen menos de un año son criaturas únicas que están gobernadas principalmente por necesidades (de alimento, sueño y contacto humano) que, por lo general, se satisfacen con cuidados básicos tanto físicos como emocionales, no mediante estrategias de carácter psicológico. Por tal razón, este libro se concentra ante todo en el niño que ha dejado de ser bebé y cuyas necesidades evolutivas se prestan para ser orientadas por los padres.

Introducción

Los años preescolares son los años de aprendizaje más importantes de la vida en cuanto al desarrollo físico, emocional e intelectual. Cuando los preescolares se hallan en estado óptimo, son curiosos, ingeniosos, desbordantes de entusiasmo e independientes. En su peor estado son tercos, cohibidos y demasiado apegados. Por su personalidad variable y su incapacidad de usar la lógica de los adultos son personitas muy difíciles de tratar para quienes deben inculcarles las normas de conducta. Los preescolares viven en un mundo desafiante tanto para ellos como para sus padres, y enseñarles — que es lo que significa disciplinar, realmente — a veces es como trabajar con suelo fértil, y otras como golpearse la cabeza contra un muro de ladrillos.

Esto no debiera ser especialmente sorprendente. Entre los padres y sus preescolares hay, por lo general, una diferencia de edad de por lo menos veinte años y una diferencia de años luz en cuanto a experiencia, capacidad de razonar y capacidad de autodominio. También tienen ideas, sentimientos, expectativas, reglas, creencias y valores diferentes con respecto a sí mismos, a los demás y al mundo en general.

Los niños no nacen, por ejemplo, sabiendo que no es correcto escribir en las paredes. Solamente aprenderán la forma apropiada de expresar sus talentos artísticos si sus padres les enseñan constantemente dónde *pueden* escribir, los elogian cuando siguen las instrucciones, y les explican las consecuencias que resultan cuando quebrantan la regla.

Al mismo tiempo, los niños tienen sus propias necesidades, deseos y sentimientos, la mayoría de los cuales no pueden expresar en forma clara. Durante sus primeros cinco años de vida se esfuerzan por convertirse en seres humanos independientes, y se rebelan contra el hecho de que los "críen" personas mayores.

Los objetivos *fundamentales* que los padres persiguen para sus preescolares son los objetivos *inmediatos* que persiguen para sí mismos — autodominio e independencia. Cuando los padres entienden que obran de acuerdo con un programa que es diferente del de su hijo, y que la capacidad de aprendizaje de cada niño es diferente, pueden echar los cimientos de empatía, confianza y respeto para fundamentar la comunicación familiar.

La tarea número uno que enfrentan los padres de preescolares es enseñarles, a un nivel que puedan entender, a comportarse apropiadamente en su mundo privado, tanto en la casa como en público.

Cuando los padres hacen frente a las rabietas de sus hijos, por ejemplo, no sólo intentan restaurar la calma y el orden en su casa; en el fondo tratan de enseñarles a sus hijos a manejar la frustración y la ira en forma más apropiada. Y, como preceptores de disciplina infantil, los padres deben ''servir de modelo'' para la clase de conducta que desean enseñar, y comunicarles a sus hijos sus valores personales en forma tal que los valores sean tan importantes para su prole como lo son para ellos mismos.

Ser padres es problemático por naturaleza

Como la infancia está por naturaleza llena de problemas y conflictos, es necesario que usted se haga algunas preguntas antes de calificar de ''problema'' cualquier conducta de su hijo.

- Pregúntese usted con qué frecuencia ocurre cierto tipo de mal comportamiento. Luego considere cuán grave es el comportamiento. Si su hijo se pone furioso fácilmente, por ejemplo, la ira puede ser su reacción natural a la frustración. Sin embargo, si su hijo se enfurece con tal intensidad que puede lastimarse a sí mismo o lastimar a otros, entonces puede ser necesario que usted preste alguna atención a, por lo menos, reducir la intensidad del enojo (de la ira).

- Esté consciente de su propia tolerancia para el mal comportamiento de su hijo. Por ejemplo, por sus propios prejuicios, necesidades o reglas, usted quizás esté dispuesto a tolerar o incluso a considerar graciosos algunos comportamientos que otros padres consideran intolerables. Sin embargo, los problemas también son determinados por otros adultos. El ''¿Qué pensarán los vecinos?'' pone el problema fuera del seno de la familia. Un padre que bien puede aceptar lo que un niño hace en la casa, puede darse cuenta de que otros no están dispuestos a aprobarlo, y decide hacer algo al respecto. Así que para los padres, la conducta de un hijo se convierte en un tema de discusión o en un problema desde su propio punto de vista o desde el punto de vista de otros. Por ejemplo, los niños no perciben sus pataletas como un problema, por la sencilla razón de que todavía no han aprendido formas más apropiadas o serenas de procurarse satisfacción.

Para poder manejar adecuadamente los problemas de conducta de sus hijos, es necesario que los padres *mismos* se vuelvan más disciplinados (en el caso en que *disciplina* se define como un proceso de enseñanza y aprendizaje que conduce al orden y al autodominio). Antes de cambiar la conducta de los hijos debe cambiar la de los padres; y antes de disciplinar a los hijos, los padres deben convertirse en "padres disciplinados".

El abecé de la educación disciplinada de los hijos

El abecé de la educación disciplinada de los hijos es un resumen de más de veinte años de investigación en el campo de la conducta, que prueba que por razones tanto prácticas como filosóficas es importante "separar a un niño de su conducta" al enfrentar un problema de mala conducta. Tratando a un niño de "desordenado" cuando deja sus juguetes tirados en el piso no se logra que los recoja ni que aprenda a ser ordenado. A lo mejor el único efecto que esto produce en su hijo es contribuir a que se forme una imagen poco saludable de sí mismo, y posiblemente se convierta en una profecía que por su propia naturaleza tiende a cumplirse. Es mucho más conveniente para la imagen que el niño se forme de sí mismo concentrarse en formas específicas y constructivas de cambiar la conducta.

Con base en este principio, he aquí nuestro abecé:

- **Determine usted qué comportamiento específico quisiera cambiar.** Si usted les hace frente a los hechos específicos más bien que a los abstractos, logrará, por lo general, mejores resultados. No se limite a decirle a su hijo que sea "ordenado"; explíquele que usted quiere que recoja sus cubos antes de salir a jugar.

- **Dígale a su hijo exactamente lo que usted quiere que haga y muéstrele cómo hacerlo.** Si usted quiere que su hijo deje de lloriquear cuando quiere algo, muéstrele cómo pedirlo. Llevar a sus hijos de la mano a través de la acción deseada les ayuda a entender exactamente lo que usted quiere que hagan.

- **Elogie la conducta de su hijo.** No elogie al niño; más bien elogie lo que el niño está haciendo. Un ejemplo podría ser que usted le dijera: "Qué bueno que estés sentado tranquilamente", en vez de decirle: "Eres un niño bueno por estar sentado tranquilamente". Concentre su elogio o su desaprobación en la conducta de su hijo, porque eso es lo que a usted le interesa controlar.

- **Continúe elogiándolo mientras la nueva conducta necesite ese apoyo.** Elogiar todas las cosas correctas que sus hijos hacen les recuerda lo que usted espera de ellos e incluso continúa manteniendo el modelo de buena conducta de usted frente a ellos. Si los padres quieren enseñar eficazmente, la mejor forma de lograrlo es ejemplificar lo que ellos quieren que sus hijos hagan. El elogio continúa reafirmando la forma correcta de hacer las cosas.

- **Trate de evitar las luchas por el poder con sus hijos.** El uso de una técnica como Ganarle al Reloj (véase la página 9) cuando usted quiere que sus hijos se preparen para acostarse rápido, por ejemplo, le ayudará a disminuir el conflicto entre padres e hijos porque usted le transfiere la autoridad a una figura neutral, el reloj de la cocina.

- **Permanezca ahí.** Esto no quiere decir que los padres tengan que estar con sus hijos cada minuto del día, pero sí quiere decir que los niños necesitan una supervisión bastante constante. Si los padres permanecen ahí mientras los niños juegan, pueden controlar el tiempo de juego, ayudarles a sus hijos a aprender buenos hábitos de juego, y producir mejoras. Si no prestan cuidadosa atención, muchos errores de conducta quedarán sin corregir.

- **Evite ser un historiador.** Deje la mala conducta en el pasado y no la traiga constantemente a colación. Si un niño comete un error, el hecho de recordárselo constantemente sólo producirá resentimiento y aumentará la probabilidad de que se porte mal. Lo hecho, hecho está. Esforzarse con interés por lograr un mejor futuro tiene más sentido que cavilar sobre el pasado. Recordarles a sus hijos los errores que cometen solamente pone sus errores como ejemplo de lo que no se debe hacer, pero no les enseña qué hacer. Si sirve para algo machacar los errores de sus hijos, es para practicar errores.

Pegar y gritar son contraproducentes

Los principios arriba expuestos representan lo que nosotros como padres *debemos* hacer cuando nos enfrentamos con la mala conducta. Sin embargo, lo que con frecuencia hacemos es gritar o pegarles a nuestros hijos, especialmente cuando estamos cansados o aturdidos o nos sentimos frustrados por el hecho de que ellos no nos obedecen. Gritar y pegar son respuestas perfectamente naturales a la mala conducta — especialmente si el niño persiste en su mala conducta — pero también son totalmente contraproducentes.

El castigo severo muchas veces genera más problemas de los que resuelve. En primer lugar, gritar y pegar es prestarles a los niños todas las clases de atención errónea, y si es la única atención que les prestamos, probablemente se porten mal con el solo objeto de lograr que nos fijemos en ellos. Además, los padres no siempre saben si pegar es eficaz, porque, en realidad, no observan el efecto que, con el tiempo, esto producirá en la conducta de un niño. A menudo, el castigo simplemente hace que el niño reprima la mala conducta: impide que proceda mal frente a los padres, pero no acaba del todo con la conducta indebida. En realidad, los niños se vuelven expertos en no dejarse pillar. Es posible que los padres incluso digan: "¡Que no te pille otra vez haciendo eso!"

Pero en la jerarquía del desarrollo moral (según lo define Lawrence Kohlberg), el nivel más bajo es "seguir las reglas solamente para evitar el castigo". Sin embargo, el nivel más alto es "seguir las reglas porque son convenientes y buenas". Cuando les pegamos constantemente a nuestros hijos por su mala conducta, propenderán a detenerse en el nivel más bajo de desarrollo moral — les interesará evitar el castigo, no hacer lo que es bueno o correcto.

Pegar también es el modelo de la primera experiencia de violencia que tiene un niño. Los niños aprenden a comportarse en forma violenta por el ejemplo que les damos nosotros los adultos. Es difícil justificar la amonestación "¡No pegues!" mientras los padres les pegan a sus hijos por pegar.

Como los niños ven el mundo en términos concretos, un niño que ve que para un adulto es lícito pegarle a un niño, supondrá que, por tanto, debe ser lícito para un niño pegarle a un adulto o a otro niño. Los golpes producen golpes, ira, deseos de venganza y la ruptura de la comunicación entre los padres y sus hijos.

Autocharlas

Animamos a los padres a usar lo que en este libro llamamos *autocharlas,* con el propósito de evitar que adquieran el hábito de decirse a sí mismos cosas irracionales. La mejor forma de definir *autocharla* es lo que la gente se dice a sí misma que rige su conducta. Si, por ejemplo, un padre dice: "¡No soporto el lloriqueo de mi hijo!", entonces su nivel de tolerancia para el lloriqueo será mucho menor. Sin embargo, si ese mismo padre se dice a sí mismo: "No me gusta que mi hijo lloriquee, pero puedo sobrellevarlo", entonces no sólo podrá tolerar el lloriqueo más tiempo, sino probablemente también buscará la forma de cambiar este comportamiento. Así, pues, la autocharla se convierte en una forma de asegurar el éxito en vez del fracaso. Lo que una persona "se dice a sí misma" constituye el mensaje más importante que recibirá, de modo que la autocharla es un instrumento fabuloso para los padres de preescolares. Si los padres pueden calmarse en momentos de estrés, habrá mayores probabilidades de que adopten medidas razonables y responsables.

Cómo usar este libro

Para usar este libro en la forma más eficaz posible, considere cada medida que debe tomar como un remedio para determinado problema de conducta. Fórmese su propia opinión con respecto a la seriedad del problema, y luego comience con la menos severa de las medidas de primeros auxilios. Una regla básica para tomar las medidas destinadas a cambiar la conducta de los niños es ensayar la estrategia menos severa primero. Esto, por lo general, implica mostrarle a su hijo lo que debe hacer y animarlo a que lo haga. Si eso no surte efecto, ensaye la estrategia menos severa después de ésta, etc., hasta que encuentre algo que sí produzca resultados. Además, como es

igualmente importante saber *qué hacer* en una crisis de conducta, procure evitar la lista de los *qué no hacer* que se presenta
en cada sección. Esto ayuda a evitar que los problemas de
conducta surjan de nuevo o se vuelvan más serios.

Como los padres y los hijos son individuos, ciertas palabras y
medidas, al aplicarlas en situaciones específicas en este libro,
les parecerán a unos más naturales que a otros. Si el lenguaje,
tal como está, no parece salir con naturalidad de su boca,
cambie una o dos palabras. Los niños de uno a cinco años se
dan cuenta perfectamente de los sentimientos y las reacciones
sutiles de sus padres, y son muy sensibles a ellos. Procure que
lo que usted diga y haga le parezca a su hijo creíble, y él estará
más dispuesto a aceptar sus tácticas.

Una última palabra

Mientras usted emplee estos remedios para tener éxito como
padre, podrá aceptar a su hijo libremente, porque la conducta
de su hijo será más aceptable. Los remedios también están
diseñados para mostrarle a su hijo la clase de respeto con que
usted trataría a otros en su casa. Sus hijos aprenden a ser
respetuosos cuando usted los trata con respeto. Trate a su hijo
como si fuera un huésped. Eso no quiere decir que él no deba
seguir las reglas, sino que hay que persuadirlo con amabilidad
y respeto para que las cumpla.

Diccionario de disciplina

Los siguientes términos son definidos aquí tal como se usan en todo el libro.

Ganarle al Reloj
Método motivador basado en la naturaleza competitiva de un niño. Como a los niños les encanta hacer carreras para ganar, los padres pueden organizar una competencia entre un niño y el tiempo, usando un reloj portátil de cocina. "¿Puedes terminar antes de que suene el reloj?" es la premisa básica. Los niños pueden, entonces, correr contra el tiempo y a sus padres les es posible, entonces, actuar como apoyo. La investigación ha demostrado que Ganarle al Reloj reduce los conflictos y las luchas por el poder entre padres e hijos.

Hora neutral
Es una hora libre de conflictos, como después de una pataleta, cuando el niño está jugando tranquilamente. Una hora neutral es el momento más oportuno para enseñar nuevos comportamientos porque las emociones no están alteradas, por lo cual los niños (lo mismo que los adultos) son más receptivos a nuevos conocimientos sin "interferencia estática".

Elogio
Para reconocer verbalmente una conducta que usted quiere reforzar. El elogio siempre debe dirigirse a la conducta y no al niño. Diga: "Qué bueno que estés comiendo", no "Qué niño tan bueno por estar comiendo". El elogio proporciona un modelo para las afirmaciones que llevan al niño a un alto nivel de desarrollo moral.

Reprimenda
Una afirmación brusca que incluye la orden de poner fin al comportamiento; es una razón por la cual debe ponerse fin al comportamiento y una alternativa para el comportamiento; por ejemplo: "Deja de pegar; pegar duele; pídele con amabilidad que te dé el juguete".

Regla
Una serie predeterminada de expectativas con resultados y consecuencias definidos. Establecer reglas y hacerlas cumplir son técnicas eficaces para resolver problemas, porque quedó demostrado que los niños se comportarán en forma más aceptable si su mundo es predecible y si pueden prever las consecuencias de su conducta.

Regla de la Abuelita

Un acuerdo contractual que sigue el patrón "Cuando hayas hecho X, puedes hacer Y" (que es lo que el niño quiere hacer). Es mejor formular la Regla de la Abuelita en afirmativo que en negativo. Es incondicional. Nunca cambie el "cuando" por el "si". Esto le permite al niño hacer esta pregunta: "¿Qué pasa si no hago X?" Un axioma anticuado era: "Cuando usted trabaja, come". De esta perogrullada básica provino la Regla de la Abuelita, la cual ha demostrado producir un poderoso efecto en el comportamiento, porque creó refuerzos establecidos (por ejemplo, recompensas, consecuencias positivas) para la conducta apropiada.

Tiempo Fuera de Acción

Para alejar a una persona de cualquier interacción social durante un período de tiempo señalado. Un típico Tiempo Fuera de Acción para los niños podría ser estar sentados en una silla durante un tiempo especificado o ser enviados a un cuarto durante el tiempo especificado. Una regla empírica es un minuto de Tiempo Fuera de Acción por cada año de edad. Cuando usted discipline al niño en esta forma, ordénele que vaya al lugar que usted haya elegido, y luego ponga el reloj por el tiempo especificado. Si se levanta de la silla antes de que suene el reloj, ponga éste de nuevo y ordénele que permanezca sentado en la silla hasta que suene. Repita este proceso hasta que se quede sentado en la silla durante el tiempo especificado. La investigación ha demostrado que este método es una excelente alternativa para las medidas tradicionales más violentas destinadas a ponerle fin a un comportamiento así, tal como pegar. ¿Por qué? Porque el Tiempo Fuera de Acción produce el efecto de alejar al niño de toda posibilidad de recibir refuerzo (por ejemplo, atención verbal, contacto físico) o de cualquier consecuencia positiva que pueda derivarse del comportamiento indebido durante el período de Tiempo Fuera de Acción.

Fases del desarrollo

El cuadro que presentamos a continuación revela algunas de las fases por las cuales pasan niños normales de uno a cinco años durante sus años preescolares, fases que los padres deben esperar que se presenten. Son características generales que aparecen en la columna de la edad en que normalmente ocurren. Como cada niño desarrolla su propio horario personal, la edad de la fase puede adelantarse o retrasarse en relación con la edad cronológica. Simplemente use estas guías para aprender lo que sucede durante una etapa particular de desarrollo, teniendo presente que aunque el comportamiento de su hijo puede ser normal, quizá él requiera una educación disciplinada para asegurar el bienestar emocional y mental tanto de él como de usted.

Edad	Fases
De 1 a 2 años	• Explora su medio ambiente, se involucra en cosas nuevas • Duerme una siesta larga al día • Juega solo durante breves períodos • Explora todo su cuerpo
De 2 a 3 años	• Corre, trepa, empuja, jala; es muy activo • Parece patizambo • Come con los dedos, con la cuchara y usa la taza • Puede quitarse algunas de sus prendas • Explora los órganos genitales • Duerme menos, se despierta con facilidad • Le gusta la rutina • Se preocupa cuando la madre pasa la noche fuera de casa • Quiere hacer cosas él mismo • Tiene arranques de ira y cambia de estado de ánimo • Es rebelde e indeciso; cambia de parecer • Imita a los adultos • Juega junto a niños de su edad, pero no con ellos • Todavía no puede compartir, esperar, turnarse, ceder • Le gusta jugar con el agua

- Alarga las "buenas noches"
- Usa palabras sencillas, frases cortas
- Es negativo; dice no
- Entiende más de lo que puede decir

**De 3 a
4 años**

- Corre, salta y trepa
- Se alimenta solo; bebe de la taza con habilidad
- Lleva cosas sin dejarlas caer
- Puede ayudar a vestirse y desvestirse
- Puede no dormir a la hora de la siesta, pero juega tranquilamente
- Responde a los adultos; quiere aprobación
- Es sensible a las expresiones de desaprobación
- Coopera; le gusta hacer mandados sencillos
- Está en una etapa de "yo también"; quiere ser incluido
- Es curioso con respecto a cosas y a personas
- Es imaginativo; puede tenerles miedo a la oscuridad, a los animales
- Puede tener un compañero imaginario
- Es posible que se levante de la cama por la noche
- Es hablador; usa frases cortas
- Puede esperar su turno; tiene poca paciencia
- Puede asumir alguna responsabilidad (por ejemplo, guarda los juguetes)
- Juega bien cuando está solo, pero el juego de grupo puede ser tempestuoso
- Les tiene cariño a los padres del sexo opuesto
- Es celoso, especialmente del nuevo bebé
- Da evidencia de sentimientos de culpa
- Se desahoga de la inseguridad emocional siendo quejumbroso, llorando, pidiendo que le demuestren amor
- Se desahoga de la tensión chupándose el dedo, mordiéndose las uñas
- Es expresivo

**De 4 a
5 años**

- Continúa aumentando de peso y estatura
- Continúa mejorando su coordinación
- Tiene buenos hábitos de alimentación y sueño y controla los esfínteres
- Es muy activo
- Empieza a hacer cosas, pero no necesariamente las termina

- Es mandón, jactancioso
- Juega con otros, pero es agresivo
- Tiene peleas de poca duración
- Habla con claridad; es un gran hablador
- Cuenta cuentos, exagera
- Usa palabras relacionadas con el control de los esfínteres en forma "chistosa"
- Inventa palabras de muchas sílabas que carecen de sentido
- Se ríe, suelta risitas
- Se demora para hacer las cosas
- Se lava cuando le ordenan
- Etapa de "¿Cómo?" y "¿Por qué?"
- Tiene una imaginación muy activa
- Manifiesta dependencia de los compañeros

Oponer resistencia a acostarse

Los preescolares vigorosos y activos que evitan el sueño pueden convertir la hora de acostarse o de la siesta en un tiempo de persecución, un tiempo de llanto o un tiempo de encontrar otros libros para leer, con el propósito de posponer la pausa de descanso, que les da horror. No importa que su hijo piense que determinada hora es la apropiada para descansar, manténgase firme en la hora que *usted* fijó. Pero permítale a su hijo algún tiempo para calmarse y hacerse gradualmente a la idea de apagar su motor.

Observación: Como la necesidad de sueño de su hijo cambia a medida que va creciendo, quizás usted tenga que permitirle acostarse más tarde o abreviar su siesta. Los niños (incluso los de una misma familia) no requieren todos la misma cantidad de sueño. (Su pequeño de dos años puede no necesitar las mismas horas de descanso que su hermano mayor necesitaba cuando tenía dos años.)

Cómo evitar el problema

Compartan una charla especial a la hora de acostarse. Concluya el día o empiece una siesta con un sentimiento especial entre usted y su hijo, recitando una poesía o contando un cuento como parte regular de la rutina de acostarse. Convierta el evento en algo especial, de modo que sea algo con que su hijo pueda ilusionarse. Ensaye recitar o cantar: "Duérmete, niño, duérmete ya, que un ángel santo te cuidará". Hablen de los acontecimientos del día, aunque sea una conversación unilateral.

Haga que el ejercicio sea un hábito diario. Asegúrese de que su hijo haga ejercicios físicos a alguna hora del día para que su cuerpo le ayude a decirle a su mente que no olvide acostarse.

Limite las siestas de su hijo. No deje que su hijo aplace la siesta hasta la noche y que entonces duerma una hora más. Despiértelo, si fuere necesario, para distribuir los períodos en que debe estar dormido y los períodos en que debe estar despierto.

Compartan experiencias antes de la hora de acostarse. Juegue con su hijo antes de anunciarle que es hora de acostarse, para evitar que oponga resistencia sólo para captar su atención.

Mantenga invariable la hora de acostarse. Descubra cuánto sueño necesita su hijo, observando cómo actúa cuando ha dormido una siesta y cuando no la ha dormido, cuando se ha acostado a las nueve y a las siete. Luego establezca el mismo horario de sueño para que se ajuste a las necesidades del niño.

Cómo resolver el problema
Lo que se debe hacer

Juegue a Ganarle al Reloj. Así es como funciona: Una hora antes de acostarse el niño (o de dormir la siesta), ponga el reloj para que suene a los cinco minutos. Esto le permite a su hijo prepararse para los eventos venideros. Cuando el reloj suene, póngalo nuevamente para que suene quince minutos después; durante ese cuarto de hora usted y su hijo (o él solo, si es capaz) se preparan para acostarse (tomar un baño, ponerse piyama, tomar algo, lavarse los dientes, ir al baño, etc.). Si su hijo le gana al reloj, puede quedarse levantado y jugar durante los cuarenta minutos restantes de la hora. Si no le gana al reloj, no le quite ninguno de los privilegios; simplemente acuéstelo.

Use siempre la rutina a la hora de acostarse, sin importar la hora. Aunque la hora de acostarse se haya retrasado por una u otra razón, pase por los mismos rituales para ayudarle a su hijo a aprender lo que se espera de él cuando se trata de acostarse. No señale hasta qué hora se quedó levantado. Acelere los preparativos para acostarse, ayudándole con los rituales de ponerse piyama o de buscar algo de tomar, por ejemplo, y ponga el reloj para que suene treinta minutos más tarde, al comienzo, en lugar de sesenta; pero no omita ningún paso.

Fíjese en el orden. Como a los preescolares les parece cómoda la rutina, vea que se bañe, se lave los dientes y se ponga piyama en el mismo orden todas las noches. Pídale a su hijo que diga cuál es el siguiente paso en la rutina para convertir los preparativos para acostarse en un juego, en el que su hijo toma la iniciativa.

Ofrezca recompensas por ganarle al reloj. Salude a su hijo al despertar con las buenas nuevas de que ganarle al reloj tiene sus recompensas. Dígale: "Te fue tan bien a la hora de acostarte que te preparé tu desayuno favorito" o "Como te portaste tan bien a la hora de acostarte, ahora te leeré un cuento".

Lo que no se debe hacer

No deje que su hijo controle la hora de acostarse. Cíñase a la hora de acostarse que usted eligió, a pesar de la resistencia que su hijo pueda oponer con objeto de aplazarla. Recuerde que usted sabe por qué su hijo no quiere acostarse — y por qué debe hacerlo. Diga para usted: "Sólo está llorando porque quiere seguir jugando, pero yo sé que jugará con mayor placer después si duerme ahora".

No amenace ni pegue. Amenazar a su hijo o pegarle para lograr que se acueste le puede causar pesadillas y temores, además de hacer que usted se altere y se sienta culpable porque la conducta persiste. Use el reloj como una autoridad neutral para determinar cuándo es hora de acostarse para que usted se exima de toda culpa.

No le recuerde a su hijo su naturaleza inquieta. No lo castigue por resistirse al sueño cuando se levante. Repita el juego de Ganarle al Reloj hasta que lo juegue por instinto.

La hora de acostarse en la casa de Sam

Las noches en la casa de la familia Shore significaban una sola cosa: una temible lucha de voluntad entre el pequeño Sam de tres años de edad y su padre, cuando le anunciaban a Shore hijo que era hora de acostarse.

"¡No estoy cansado! ¡No quiero acostarme! ¡Quiero quedarme levantado!" suplicaba Sam todas las noches cuando su enojado padre lo llevaba a rastras a la cama. "Sé que no quieres acostarte", decía su padre, "¡pero harás lo que yo diga, y yo digo que es hora de acostarse!"

Obligar a su hijo a acostarse alteraba al señor Shore tanto como a su pequeño hijo. Aunque creía que *él* debía ser el que mandaba, sabía que sus peleas mantenían a Sam despierto, derramando lágrimas en su almohada, mientras él trataba de encontrar la forma de lograr que la hora de acostarse fuera menos estresante.

La siguiente noche, el señor Shore decidió controlarse y dejar que otra cosa, el reloj de la cocina, controlara la hora de acostarse. Una hora antes del tiempo de acostarse Sam, puso el reloj para que sonara cinco minutos después. "Es hora de que te prepares para acostarte", le explicó el señor Shore a su curioso hijo. "Si logras estar listo antes de que suene el reloj, lo pondremos de nuevo y podrás quedarte levantado durante el resto de la hora y jugar. Si no le ganas al reloj, debes acostarte de inmediato y no habrá más juego hasta mañana".

Sam echó a correr como loco y logró estar listo antes de que el reloj sonara. Tal como lo había prometido, el señor Shore puso el reloj de nuevo, luego le leyó a Sam sus cuentos favoritos de animales y cantó algunas nuevas canciones de cuna hasta que el reloj sonó nuevamente, casi una hora más tarde. "Es hora de acostarme, ¿no es cierto?" anunció Sam, mostrándose muy complacido por haber desentrañado el sentido de ese juego. "¡Correcto! ¡Qué listo eres!" contestó su padre.

Cuando iban subiendo las escaleras rumbo a la cama, el señor Shore le dijo una vez más a su hijo lo orgulloso que estaba de él por haberle "ganado al reloj". Los incentivos y las consecuencias que el padre de Sam compartía con su hijo les ayudaron a disfrutar una noche sin guerra por primera vez en meses. Luego de seguir esta rutina durante varias semanas, la hora de acostarse, si bien nunca se convirtió en algo para ilusionarse, distaba mucho de ser una lucha para Sam y su padre.

Levantarse de la cama por la noche

Los niños menores de seis años son famosos por aparecer inesperadamente de noche pidiendo libros, besos, o rogando que los dejen meterse en la cama con sus padres, apenas éstos salen de la alcoba del niño o apagan la luz. Recuerde que su hija necesita dormir de noche, aunque pida diez libros y cuatro vasos de jugo sólo para ver lo que usted está haciendo o para tenerla nuevamente a su lado. Explíquele que si ella se duerme usted estará de vuelta a su lado más rápido que si exige atención.

Observación: Si usted no sabe si lo que su hija está expresando es una necesidad o un deseo (si su hija todavía no habla o simplemente lanza gritos en vez de decir lo que quiere), vaya a su alcoba y échele una mirada. Si todo está bien desde el punto de vista médico, déle rápidamente un beso y un abrazo (máximo treinta segundos) y márchese. Dígale firme y cariñosamente que es hora de dormir, no de jugar.

Cómo evitar el problema

Discuta las reglas de la hora de acostarse cuando no sea hora de acostarse. Fíjele límites al número de veces que su hija puede tomar algo o ir al baño a la hora de acostarse. Explíquele estas reglas a una hora neutral, de modo que sepa lo que se espera de ella cuando llegue la hora de acostarse. Dígale: "Puedes llevar dos libros a la cama y tomar algo una sola vez, y yo te contaré dos cuentos antes de dormir". Si a su hija le gusta meterse en la cama con usted, decida, antes de que ella llegue, si sus reglas lo permiten. (No existe ninguna evidencia para afirmar que es bueno o malo que los niños estén en la misma cama con sus padres.)

Ofrezca recompensas por seguir las reglas. Hágale saber a su hija que seguir las reglas, no quebrantarlas, le traerá recompensas.

Dígale: "Cuando te hayas quedado en tu cama toda la noche (si ésa es su regla), puedes comer chococrispies a la hora del desayuno". Las recompensas podrían incluir desayunos especiales, paseos al parque, juegos, horas de recreo con usted, o cualquier cosa que usted sepa que le gusta mucho a su hija.

Incúlquele la idea de dormirse de nuevo. Recuérdele a su hija las reglas cuando la acueste, para que haga memoria de discusiones anteriores.

Cómo resolver el problema

Lo que se debe hacer

Ayúdele a su hija a obedecer las reglas. Procure que incumplir las reglas sea tan engorroso que resulte preferible no hacerlo. Cuando su hija incumpla una regla levantándose más de dos veces a tomar algo, por ejemplo, vaya a su lado y dígale: "Siento que te hayas levantado y hayas desobedecido la regla de dos vasos de jugo nada más. Ahora debes dormirte con la puerta cerrada, tal como habíamos dicho" (si eso es lo que usted dijo que haría si pedía más de dos vasos de jugo).

Manténgase firme en sus reglas. Haga cumplir la regla cada vez que su hija le desobedezca, para enseñarle que lo que usted dice es en serio. Por ejemplo, cuando usted vuelve a acostar a su hija después de haberse metido en la cama con ustedes, incumpliendo así la regla que usted estableció, dígale: "Siento que te hayas metido en la cama con nosotros. Recuerda la regla: cada cual duerme en su propia cama. Te quiero. Hasta mañana".

Cumpla sus promesas en cuanto a recompensas. Asegúrese de que su hija confíe en usted, dándole una recompensa cada vez que cumpla las reglas.

Lo que no se debe hacer

No falte a su promesa. Una vez que haya establecido las reglas, no las cambie, a menos que lo discuta primero con su hija. Cada vez que usted no haga cumplir las reglas, su hija sólo aprenderá a seguir tratando de obtener lo que quiere, a pesar de que usted haya dicho que no.

No sucumba a los alaridos. Si su hija grita porque usted hizo cumplir la regla, recuerde que ella está aprendiendo algo que es importante para su propia salud: la noche es para dormir. Calcule cuánto tiempo grita su hija, para ver el progreso que usted está haciendo en sus esfuerzos por conseguir que no se resista al sueño. Si usted no responde a la gritería, su duración debe disminuir gradualmente hasta que desaparezca por completo.

No se valga de amenazas ni inspire temor. Las amenazas tales como "Si te levantas de la cama, te comerá el coco" o "Si lo vuelves a hacer, te voy a castigar", sólo aumentarán el problema porque, a menos que usted cumpla las amenazas, éstas no serán más que palabras que carecen de sentido. El temor puede lograr que su hija no se levante, pero el temor puede generalizarse hasta que su hija les tenga miedo a muchas cosas.

No le hable a su hija desde lejos. Gritar profiriendo amenazas y reglas cuando su hija no la pueda ver le enseña a gritar y le hace saber que usted no se interesa lo suficientemente como para hablarle cara a cara.

Las caminatas de Jennifer a medianoche

Jennifer Long, una pequeña de dos años y medio, dormía toda la noche sin despertarse hasta el amanecer desde que tenía seis meses de edad. Sin embargo, durante el último mes dormía sólo unas pocas horas antes de despertar a sus padres de un sueño profundo alrededor de la medianoche con gritos de "¡Mamá! ¡Papá!"

Al principio, la madre o el padre de Jennifer corría escaleras arriba para ver qué le pasaba a su hija, sólo para encontrarla pidiendo agua una noche, un abrazo más la siguiente, y visitas al baño otras noches.

Al cabo de varias semanas de estas interrupciones, los fatigados padres de Jennifer decidieron ponerse serios y acabar con estas peticiones. "Te quedas en la cama, o recibirás un castigo, jovencita", le dijeron; luego regresaron a su cama, sólo para oír los pasos de su hija que bajaba las escaleras y se dirigía a la alcoba de ellos. Ensayaron darle unas fuertes palmadas y ordenarle: "¡Acuéstate, si no . . .!", pero su mano dura parecía causarle poca impresión.

Los Longs seguían repitiéndose una y otra vez que era normal que Jennifer se despertara a medianoche — todo el mundo pasaba por períodos de sueño profundo y de sueño liviano. Pero ellos también sabían que su hija *podía optar* por volverse a dormir en vez de llamarlos.

Para resolver el problema, tuvieron la idea de ofrecerle a Jennifer más atención por quedarse en cama. "Si te quedas en cama sin llamarnos", le explicaron cuando la arroparon en la cama la noche siguiente, "tendrás tu sorpresa favorita a la hora del desayuno. Si nos llamas a medianoche, cerraremos tu puerta, tendrás que quedarte en cama y no tendrás ninguna sorpresa". Se aseguraron de formular la nueva regla en términos claros e inteligibles para una niña de tres años.

Esa noche, Jennifer siguió llamando a su mamá. "¡Quiero tomar algo!" Pero su madre hizo efectiva su advertencia de cerrar la puerta y no hacer caso de sus gritos. "Siento que no te hayas vuelto a dormir, Jennifer. Ahora tendremos que cerrar tu puerta. Te veré por la mañana".

Después de tres noches de puertas cerradas y un sueño interrumpido para todos los Longs, Jennifer aprendió que sus llamadas no hacían que sus padres acudieran a su lado, y que quedarse callada y en cama toda la noche hacía que las sorpresas prometidas se materializaran por la mañana. Y sus padres no sólo dormían mejor sino que Jennifer descubrió que el elogio por dormir toda la noche hacía que se sintiera como una persona mayor e importante — dos recompensas adicionales.

Negarse a comer

Aunque desde el comienzo de la paternidad los padres han estado presionando a sus inquietos preescolares para que coman, muchos niños modernos de menos de seis años todavía están demasiado ocupados investigando su mundo como para tomarse mucho tiempo para masticar. Si la tentación de obligar a su hijo a comer parece casi innata, trate de prestarle más atención por comer (¡hasta la arveja más pequeña!) que por no comer.

Observación: No confunda con enfermedad la típica conducta ocasional de no comer. Busque ayuda profesional si usted cree que su hijo está enfermo y por ello no puede comer.

Cómo evitar el problema

Usted tampoco se salte las comidas. Si usted también se salta las comidas, le hará dar a su hijo la impresión de que no comer está bien para él, puesto que está bien para usted.

No ponga énfasis en barrigas grandes ni idolatre un físico esquelético. Inclusive un niño de tres años puede llegar a desarrollar un interés irracional por su peso si usted le enseña a obsesionarse con su gordura.

Averigüe qué cantidad de alimentos es adecuada para la edad y para el peso de su hijo. Entienda cuáles son los niveles normales de comer para su hijo, de modo que sus expectativas sean realistas. (Véase el apéndice dos, página 155.)

Fije horas para comer. Haga que el organismo de su hijo adquiera el hábito de reclamar alimento a una hora determinada, y su cuerpo le dirá que necesita comida a esa hora.

Cómo resolver el problema

Lo que se debe hacer

Estimule el apetito de su hijo ofreciéndole menos comida, más a menudo. El estómago de su hijo no es tan grande como el suyo, de modo que no le cabe lo suficiente como para que resista tres o cuatro horas entre comidas. Deje que su hijo coma cuantas veces quiera, pero solamente los alimentos apropiados para una buena alimentación. Dígale, por ejemplo: "Siempre que tengas hambre, avísame, y puedes comer apio con mantequilla de maní o una manzana con queso". Asegúrese de que se cumplan sus sugerencias, basándose en los alimentos que están disponibles en la casa y la hora en que se servirá una comida más abundante.

Deje que su hijo escoja alimentos. Deje que su hijo decida (de vez en cuando) qué alimentos tomará entre comidas o a la hora del almuerzo (con su supervisión). Si él tiene la sensación de que ejerce algún control sobre lo que come, la comida puede provocarle mayor entusiasmo. Elogie las elecciones acertadas (sólo permita dos, de modo que no se sienta abrumado por el proceso de tomar decisiones) con comentarios como: "Me alegro muchísimo de que hayas escogido esa naranja; realmente es una fruta deliciosa".

Proporcione variedad y una dieta equilibrada. Los niños tienen que aprender lo que es una dieta apropiada. Haga el papel de profesor ofreciendo una gama de sabores, texturas, colores y aromas de alimentos nutritivos. Recuerde que el gusto de los preescolares parece cambiar de la noche a la mañana, de manera que cuente con que su hijo hoy rechace un alimento que fue su favorito la semana pasada.

Deje que la naturaleza siga su curso. Un niño normal y saludable elegirá instintivamente una dieta equilibrada en el curso de una semana, la cual, según los pediatras, le proporcionará el sustento adecuado. Tome nota mentalmente de lo que su hijo ha comido de lunes a domingo, no desde el amanecer hasta el anochecer, antes de alarmarse de que está desnutrido.

Sorprenda a su hijo con la boca llena. Estimule a su hijo cuando se coma una cucharada de cualquier cosa — para enseñarle que por comer le prestarán tanta atención como por no comer. Elogie los buenos hábitos de comer diciendo: "Es estupendo cómo te metes esos pedazos de carne en la boca tú solito", o "Me alegro de que te gusten los panecillos que tenemos hoy".

Haga que a la hora de comer se coma. Como los niños no siguen el mismo horario de comida de usted, a menudo quieren jugar afuera o terminar de construir la torre de cubos justamente cuando es hora de comer. Puede que sea necesario adaptarlos al horario de usted, para que así al menos estén sentados juntos a la misma mesa. Hágalo, pero no obligue a su hijo a comer, sino ponga un reloj con alarma durante el tiempo que debe permanecer sentado a la mesa, ya sea que coma o no. Dígale: "El reloj nos dirá cuándo termina la cena. La regla es que debes quedarte sentado a la mesa hasta que el reloj suene. Avísame cuando hayas terminado de comer, y yo retiraré tu plato". No deje que los niños menores de tres años permanezcan tanto tiempo sentados a la mesa como los de cuatro o cinco años, que suelen tener mayor capacidad de atención. Trate de recordar las horas en que a su hijo parece darle hambre, para conocer su horario y tratar de adaptarse a él, siempre que sea posible.

Lo que no se debe hacer

No le ofrezca siempre a su niño una recompensa comestible por haber comido. Deje la comida en el lugar que le corresponde. La comida tiene por objeto alimentar, no simbolizar el elogio. Dígale: "Como te comiste todas las habichuelas, puedes salir después de comer".

No use sobornos ni súplicas. Cuando su hijo no coma, no use sobornos ni súplicas para que deje el plato limpio. Esto convierte el no comer en un juego para captar su atención y le da a su hijo la sensación de que lo tiene dominado a usted.

No se altere cuando su hijo no quiera comer. Prestarle atención por no comer hace que para su hijo sea mucho más satisfactorio no comer que comer.

No les diga a otros que su hijo no quiere comer. No exagere la atención que usted les concede a los patrones de alimentación de su hijo, para que la comida no sea el campo de batalla donde ustedes luchan por el poder.

"¡No quiero comer!"

Cuando John Rowland cumplió cuatro años, su apetito bajó a cero. Sus padres ignoraban la razón, al igual que su pediatra, quien examinó al niño detenidamente a petición de su angustiada madre.

Una noche después de haberle rogado la señora Rowland que se comiera "una arveja nada más", John montó en cólera, arrojó el plato de la mesa, y gritó: "¡No quiero comer!"

El señor Rowland consideró que había dejado que su mujer manejara la situación durante demasiado tiempo. "Mira, Johnny, escúchame: Si no te comes un poco de esos macarrones, tendrás que levantarte de la mesa", lo amenazó, haciéndole saber con firmeza a su hijo la regla del momento, sin imaginarse jamás que Johnny atendería a su invitación y se bajaría de su silla.

"¡Johnny Rowland, *no* te levantarás de esta mesa! ¡Te quedarás y te comerás la cena aunque tengas que quedarte sentado aquí toda la noche!" determinó el señor Rowland, cambiando así las órdenes y dejando a su hijo totalmente desconcertado.

Esa misma noche, después de acostar a su hijo y de darle el beso de las buenas noches, los Rowlands decidieron que las cosas tenían que cambiar — estaban empezando a pegarle y a gritar a su pequeño hijo. Querían que la hora de comer fuera como había sido antes — un tiempo para comer y divertirse, para intercambiar historias, para cantar y contar los sucesos del día.

La noche siguiente, a la hora de la cena, apartaron la atención de la comida y fingieron no hacer caso de la falta de apetito de John. "Cuéntame la historia de cómo llegaste a ser el ayudante en el preescolar hoy", comenzó la mamá de John, haciendo acopio de toda la sinceridad y la calma posibles, mientras le pasaba el brécol a su esposo. John cobró ánimos cuando contaba la historia de cómo había sido elegido para sostener la bandera, y, por pura casualidad, se comió una cucharada de puré de papas en mitad de su emocionada explicación.

"Te felicito por haber sido un ayudante tan eficiente hoy", le dijo la señora Rowland a su hijo. "También me alegro de que te guste el puré de papas", agregó. Los Rowlands continuaron con su cena, pero se abstuvieron de obligar a su hijo a comerse "otro poco de puré".

A la mañana siguiente, los padres de John discutieron el éxito de la noche anterior y decidieron continuar con lo que estaban haciendo y además, poner en práctica una indicación del pediatra de John: "Es posible que John sólo coma cantidades pequeñas, a juzgar por la configuración normal pero delgada de su cuerpo, y tal vez coma esas cantidades más de tres veces al día, como lo hace mucha gente", dijo el médico. Así que de día, la señora Rowland dejó de preocuparse tanto por la hora de la cena. Empezó a crear barcos hechos con pedazos de zanahoria y caras muy divertidas de queso y uvas pasas para comer entre comidas; se despertó en Johnny un interés totalmente nuevo en comer más durante el día, aunque seguía dedicando sólo unos pocos minutos a engullir su cena. Pero los Rowlands estaban agradecidos por esos minutos que John sí dedicaba a comer, y dejaron que su hijo determinara cuándo tenía hambre y cuándo no.

Jugar con la comida

Tome una niña de uno, dos o tres años, mézclela con comida que no quiera comer, y sus padres tendrán un revoltijo en las manos, en las manos de su hija y, sin duda, también en el piso y en la mesa. Cuando su hija desprecie la comida, el hecho de que juegue con ella, manoseándola, le dirá a usted que comió todo lo que quería, sea o no realmente capaz de decirlo con palabras. Retire siempre la comida de su hija apenas se convierta en un arma o en un pedazo de arcilla, con el fin de enseñarle que la comida es para comer, o, si no, se la llevarán de ahí, aunque ella tenga todavía hambre.

Cómo evitar el problema

Usted tampoco juegue con comida. Si usted mueve las arvejas de un lado a otro con el tenedor, aun inconscientemente, su hija supondrá que ella también lo puede hacer.

Prepare alimentos que le gusten a su hija (por lo menos uno en cada comida) y que pueda comer. Córtelos en pequeños trozos que pueda comer fácilmente. Para minimizar el esfuerzo que su hija tendrá que hacer para llevar los alimentos a la boca, corte sus alimentos y úntele de mantequilla el panecillo antes de colocar el plato frente a ella.

Mantenga las bandejas de comida alejadas de la mesa. Evite que los preescolares juguetones caigan en la tentación de revolver y derramar sólo por divertirse.

Enséñele a su hija a portarse bien en la mesa (a una hora que no sea de comer). Su hija tiene que saber lo que usted espera de ella tanto en un restaurante como en la casa, porque los buenos modales no son innatos. Dé frecuentes tés, por ejemplo, donde le muestre cómo usar la cuchara, mantener la comida en la mesa, mantener las manos fuera de la comida, avisarle a usted cuando termine, etc. Por ejemplo, dígale a su hija de menos de dos años: "Di «Ya terminé» y luego puedes levantarte y jugar".

Dígale a su hija de tres, cuatro o cinco años: "Cuando suene el reloj, puedes levantarte de la mesa. Avísame cuando hayas terminado y yo retiraré tu plato".

Hable con su hija en la mesa. Si usted trata de conversar con ella, no buscará otra manera de atraer su atención, como jugar con la comida.

Cómo resolver el problema

Lo que se debe hacer

Felicite a su hija por sus buenos modales en la mesa. Siempre que su hija no esté jugando con la comida en la mesa, dígale que a usted le gusta lo bien que está comiendo, para hacerle saber que será recompensada por comer bien. Dígale, por ejemplo: "¡Qué bien usas el tenedor con esas arvejas!", o "Gracias por enrollar ese fideo en el tenedor tal como te enseñé".

Haga que jugar con la comida sea poco apetitoso. Si su hija rompe una regla de comer que han discutido anteriormente, hágale saber las consecuencias que eso trae, para demostrarle que jugar con la comida le costará algún tiempo placentero. Dígale, por ejemplo: "Siento que hayas metido las manos en el puré de papa. Ahora la cena terminó. Tendrás que limpiar el reguero".

Pregúntele a su hija si ya terminó de comer cuando empiece a jugar con la comida. No suponga inmediatamente que su hija está traveseando. Pregúntele por qué está desmenuzando el pastel de carne, con el propósito de darle una oportunidad de justificarse (si ya puede hablar).

Lo que no se debe hacer

No pierda los estribos. Aunque esté furioso con su hija por desperdiciar comida jugando con ella, su enojo puede ser el condimento que su hija quiere agregarle a su comida. A su preescolar le encanta tener el poder de influir en el mundo (para bien o para mal). No permita que jugar con la comida se convierta en un medio de lograr atención. Haga caso omiso de cualquier juego inofensivo con la comida que usted se sienta capaz de tolerar en la mesa.

No ceda. Si su hija tiene que sufrir las consecuencias de jugar con la comida, no ceda ni levante el castigo, aunque ella reniegue por lo severo que es. Enséñele a su hija que usted habla en serio cada vez que hace un trato con ella.

Desastres a la hora de la cena

La hora de cenar en la casa de los Langners tenía más bien aire de clase de arte que de una comida, pues Nick, un pequeñín de tres años, había empezado a untar su plato con comida y a escupir lo que le repugnaba a su paladar.

Sus padres, que estaban exasperados con los juegos despilfarradores de su hijo, trataron de impedírselo gritando: "¡No juegues con la comida!" cada vez que Nick comenzaba su diversión. Aun cuando su madre amenazó: "Si haces eso con tus arvejas una vez más, te levantaré de la mesa", Nick trató de lanzar una arveja más a su vaso de leche.

Pegarle tampoco produjo ningún resultado. Nick continuaba comiendo sólo unos pocos bocados, y luego se ponía a alimentar con salchichas y habichuelas las plantas que estaban a su alrededor.

De modo que los Langners comenzaron a anticipar el momento en que Nick podría estar saciado para retirar el plato apenas sus ojos y sus manos juguetonas empezaban a ver qué cosas nuevas hacer con sus papas fritas y sus habichuelas. La madre de Nick también dedicaba unos minutos durante el día a enseñarle a su hijo las palabras "Ya terminé", las cuales podía usar para avisarle que no quería comer más.

Los padres de Nick sintieron alivio porque transcurrieron tres semanas sin que su hijo desplegara sus dotes artísticas en la mesa jugando con la comida, cuando el niño empezó a untar el mantel con crema de maíz. Pero habían decidido la regla que sería aplicada en caso de "deslices", y se la explicaron calmadamente a Nick:

"Ahora que has hecho este reguero, también debes limpiarlo", le comunicaron a su hijo y luego le mostraron cómo hacerlo, en lugar de lanzarle un grito. Nick no recibió ninguna atención por tener que recoger el reguero él mismo, y sólo después de tres noches de limpieza empezó a decir: "Ya terminé", en vez de crear un área de desastre a su alrededor. Descubrió que esas palabras obraban milagros, porque apreciaba los abrazos y besos que le daban sus padres, que solían decir: "Gracias por haber dicho «Ya terminé», Nick. Sé que terminaste de comer y ahora puedes jugar con tus camiones mientras nosotros terminamos de cenar".

Toda la familia parecía sentir alivio de que pasaran más tiempo hablando de lo bien que Nick comía en lugar de hablar de lo destructivo que era con su comida. Ahora las cenas con su hijo eran más breves pero más agradables que nunca.

Comer en exceso

El apetito de muchos niños menores de seis años puede ser tan insaciable como el del famoso Cookie Monster de la televisión. Al igual que ese títere admirado por los niños, su hijo no sabe por qué quiere comer más de lo que necesita. Pero *usted* tiene que estar al tanto de eso, a fin de encauzar sus hábitos de comer por el camino correcto. Como el hábito de comer en exceso es un síntoma de un problema, no el problema mismo, trate de descubrir las causas que se ocultan tras ese "barril que parece no tener fondo". Por ejemplo, vea si come en exceso por costumbre, por aburrimiento, por imitación, o por el deseo de que le presten atención. Ayúdele a satisfacer sus deseos sin comer, así como lo haría usted mismo.

Observación: Busque ayuda profesional si su hijo come constantemente en exceso. Evite las dietas no supervisadas por el médico.

Cómo evitar el problema

Esté al tanto de lo que es apropiado para su hijo. Antes de imponer un plan de alimentación, averigüe la cantidad normal que su hijo debe comer, así como el peso promedio para su tamaño y su sexo. (Véase el apéndice dos, página 155.)

Sirva alimentos saludables. Como su hijo es demasiado joven para decidir lo que puede y lo que no puede comer, es responsabilidad de usted establecer el hábito de ingerir alimentos nutritivos, y cuanto más joven, mejor. Los alimentos con un alto contenido de grasa y azúcar deben substituirse por alimentos ricos en proteínas, a fin de ofrecer un equilibrio entre calorías nutritivas y alimentación en un día.

Enseñe cuándo, cómo y dónde se permite comer. Limite el consumo de alimentos a la cocina y al comedor, nada más. Vea que su hijo coma más despacio e insista en que los alimentos se coman de un plato o tazón, no directamente de la nevera. Hacer pausas más largas entre un bocado y otro constituye un método comprobado para hacer llegar a nuestro cerebro el mensaje de que estamos satisfechos antes de que hayamos comido más de lo que necesitamos (el proceso tarda veinte minutos en obrar).

Cómo resolver el problema

Lo que se debe hacer

Proporcione actividades placenteras distintas de comer. Descubra lo que a su hijo le gusta hacer además de comer, y sugiéralo en cuanto se dé cuenta de que ya comió lo suficiente para saciar su hambre, mostrándole lo agradables que pueden ser otras cosas distintas de comer.

Mantenga la comida en el lugar que le corresponde. No siempre ofrezca comida como un regalo o una recompensa, para que su hijo no piense que la comida encierra un significado distinto del de satisfacer el hambre.

Escalone las horas de comer, de modo que a su hijo no le dé excesiva hambre y se atraque de comida cuando finalmente esté servida.

Averigüe cuando come su hijo en exceso. Trate de descubrir por qué su hijo come en exceso para saber si recurre a la comida cuando está aburrido, ve a otros atracarse de comida, está furioso, triste, quiere que usted le preste atención, o si adquirió la costumbre. Luego busque solución para estos sentimientos haciendo algo distinto de comer, como charlar o jugar. Hablen sobre las cosas que son motivo de preocupación en la vida de su hijo, de manera que la comida no sea un medio de resolver los problemas.

Usted también practique la moderación. Está comprobado que el padre sirve de modelo para el patrón de comida que los niños parecen adoptar con mayor rapidez. Si los padres comen entre comidas e ingieren todo el día alimentos con un alto contenido calórico pero de poco valor nutritivo, sus hijos pensarán que no hay nada malo en que ellos mismos lo hagan.

Elogie la elección acertada de alimentos. Usted puede moldear las preferencias simplemente dando el ejemplo y estimulando el consumo de alimentos que usted quiere que sean los favoritos. Cada vez que su hijo tome una naranja en vez de un pedazo de chocolate para la merienda, dígale: "La elección que hiciste fue magnífica. Me alegro de que te estés cuidando así de bien, comiendo algo tan rico como una naranja''.

Anime a su hijo a hacer ejercicio. Los niños demasiado gordos a menudo no comen más que los niños de peso normal; simplemente no queman suficientes calorías mediante el ejercicio. Sugiera juegos físicos para jugar en el invierno, como bailar o saltar cuerda. En el verano, la natación, las caminatas, el baloncesto y columpiarse no sólo son buenos para el desarrollo físico de su hijo, sino también alivian la tensión, le brindan aire fresco y desarrollan coordinación y fuerza. La participación de usted en el ejercicio, sin importar en qué forma, hará que parezca un juego en lugar de un trabajo arduo.

Comuníquese con su hijo. Asegúrese de que estimular a su hijo para que se coma todas sus arvejas no sea el único estímulo que usted le dé. Elógielo por sus trabajos de arte, por las prendas de vestir que eligió, por haber recogido y ordenado sus juguetes, lo mismo que por haberse comido todo lo que tenía en el plato, para hacerle ver que la única atención que recibe no es porque come o come en exceso.

Lo que no se debe hacer

No ceda a sus caprichos en cuanto a comida. Sólo porque su hijo quiera comer más no quiere decir que necesita hacerlo, pero no lo haga sentir culpable por querer comer más. Explíquele brevemente por qué no debe comer más, puesto que su hijo es demasiado joven para darse cuenta él mismo de la razón.

No le dé a su hijo algo delicioso de comer sólo cuando él esté preocupado. Su hijo puede establecer asociaciones totalmente desacertadas con la comida si usted constantemente se la da para aliviar su pena.

No le permita siempre comer cuando estén viendo televisión. Como la publicidad por televisión bombardea a su hijo con mensajes de comida, ayúdele a escapar de la constante preocupación por la comida limitando el tiempo que puede ver televisión.

No le ofrezca alimentos con alto contenido calórico pero de bajo valor nutritivo entre las comidas. Lo que usted permita tomar entre comidas y a la hora de comer es lo que su hijo esperará. Las preferencias por ciertos alimentos muchas veces son hábitos, no preferencias innatas.

No se burle de su hijo si es demasiado gordo. Si se burla de él sólo agravará el problema y aumentará sus sentimientos de culpa y vergüenza.

"¡No más galletas!"

Audry Hanlon, una pequeña de dos años y medio, estaba adquiriendo fama de ser un "barril sin fondo que camina" en las actividades organizadas por la familia y en el jardín infantil. Cuando había comida a la vista, Audry se la comía. Nunca parecía estar satisfecha.

"¡No, Audry, no puedes comerte otra galleta!", le gritaba la señora Hanlon a su hija cada vez que la pillaba con una mano en el recipiente de galletas. "¡Has comido galletas suficientes para el resto de tu vida!", agregó un día. Pero ni los arranques de cólera ni la amenaza de quitarle el triciclo mitigaron el deseo de Audry de acabar con cualquier miga en una caja o en un plato.

Un examen médico que le hizo su pediatra le ayudó a la señora Hanlon a aprender cómo cambiar los hábitos de comer de Audry. Audry pidió que le sirvieran otra porción de avena un día después de haberle dado el médico a la señora Hanlon un plan de dieta e indicaciones sobre recetas. Por fin la señora Hanlon tenía una respuesta para su hija que no era ni enojada ni ofensiva: "Me alegro de que te guste la avena, Audry. Podemos preparar otro poco mañana por la mañana. Leamos ahora ese libro nuevo", le sugirió. Saber que la cantidad que le daba a Audry era adecuada desde el punto de vista nutritivo le facilitó permanecer firme cuando Audry le rogaba que le diera más cereal, y también le facilitó planificar cada comida, sabiendo que a lo mejor sólo estaba privando a su hija de algo que ésta quería, pero no necesitaba.

Durante el siguiente mes, los Hanlons no le permitieron a Audry comerse una cantidad ilimitada de galletas, de modo que empezó a ensayar alimentos nuevos que le daban libremente, tenían más colorido y la dejaban más satisfecha. "Me encanta que hayas elegido una naranja para tu merienda en vez de las galletas", dijo la señora Hanlon, habiéndose dado cuenta de que cada vez que Audry elegía un alimento nutritivo debía ser recompensada con elogios.

Audry empezó a escuchar menos comentarios acerca de que era un barril sin fondo, y recibió cantidades de abrazos y

felicitaciones por comer frutas en vez de chocolates — felicitaciones que la animaban a consumir por primera vez alimentos
nutritivos. Sus padres no sólo estaban encantados de compartir
el ejercicio y la diversión con ella, sino que además Audry
parecía ser una compañía más divertida para sus amigos y sus
maestros.

Hacer uso excesivo del no

"No" es la palabra que más probablemente dirán los niños de uno a tres años, porque probablemente es la palabra que más dicen sus padres. Los niños que dan sus primeros pasos son expertos en encaramarse, en introducirse y en meterse debajo de las cosas, y sus padres son expertos en decir "¡No! ¡No toque!" "¡No! ¡No abra!" "¡No! ¡No haga eso!" Para ver qué y a quién pueden controlar, los niños de dos y tres años devuelven enseguida un no cada vez que les hacen una pregunta que exige un sí o un no como respuesta. Limite las oportunidades que le dé a su hija para que diga no (evite preguntas que exijan un sí o un no como respuesta) y no siempre la tome literalmente cuando diga no a todo lo que usted le pida.

Cómo evitar el problema

Conozca la personalidad de su hija. Si usted está familiarizado con los caprichos y los deseos de su hija, sabrá cuándo su no realmente significa sí o cuándo realmente *no quiere* nada.

Piense antes de decir no. Evite decirle no a su hija cuando en realidad no le importa si hace o no hace algo.

Limite las preguntas que requieren un sí o un no como respuesta. No haga preguntas que podrían contestarse con un no. Pregunte cuánto jugo quiere, por ejemplo, en lugar de preguntarle si quiere un poco de jugo. Si usted quiere que suba al automóvil, no le diga: "¿Quieres subirte al automóvil?" Dígale: "Ahora nos vamos a subir al automóvil", ¡y hágalo!

Cambie su propio no por una palabra diferente. Por ejemplo, diga "basta" en vez de no cuando su hija hace algo que usted no quiere que haga, como tocar las plantas.

Consiga que su hija ponga fin a una conducta enseñándole a hacer otra cosa. Como normalmente usted quiere que su hija ponga fin a una conducta cuando le dice no, enséñele otra conducta para reemplazar la que usted quiere impedir. Durante una hora neutral, tome de la mano a su hija, y dígale: "Ven acá, ¡por favor!", y tómela en brazos. Luego dígale: "Gracias por venir". Practique cinco veces al día, aumentando poco a poco la distancia entre su hija y usted cuando le diga "Ven acá, por favor", hasta que pueda ir donde está usted desde el otro lado del cuarto o del centro comercial.

Cómo resolver el problema

Lo que se debe hacer

Haga caso omiso del no de su hija. Tome el lado positivo y suponga que, en realidad, quiere decir sí. Si verdaderamente no quiere el jugo que acaba de rechazar, por ejemplo, no lo tomará. Pronto usted sabrá si está fingiendo o no, cuando diga no.

Préstele más atención a un sí que a un no. Su hija pronto aprenderá a decir sí, si al hacer ella señas positivas con la cabeza o al decir sí usted sonríe y la elogia. Reaccione positivamente a esa palabra diciendo algo como: "Qué bueno que hayas dicho sí" o "Realmente me alegro de que hayas dicho sí cuando tu tía te hizo esa pregunta".

Enseñe a decir sí. Los niños mayores de tres años pueden aprender a decir sí si les enseñan metódicamente. Ensaye este plan: Dígale a su hija que usted quiere oírla decir sí. Luego elógiela por decirlo, con palabras como: "Es tan agradable oírte decir sí" o "Realmente, me gusta la forma en que dijiste sí". Después dígale: "Te voy a pedir que hagas algo por mí, y quiero que digas sí antes de que cuente hasta cinco". Si lo dice, felicítela por ese sí tan magnífico. Practíquelo cinco veces al día durante cinco días y logrará que su hija dé respuestas más positivas.

Permítale a su hija decir no. Aunque su hija debe seguir haciendo lo que usted quiere que haga o necesita que haga, tiene derecho a decir no. Si usted quiere que su hija haga algo, y ella dice que no, explíquele la situación. Dígale, por ejemplo: "Yo sé que no quieres recoger tus crayolas, pero cuando me obedezcas, puedes hacer lo que quieras". Esto le hace saber a su hija que usted la escucha cuando expresa sus sentimientos y que los tiene en cuenta — pero que usted sigue siendo el que manda.

Lo que no se debe hacer

No se ría ni fomente el uso del no. Reírse o llamar la atención sobre el uso excesivo del no de su hija sólo la anima a usarlo más todavía, para obtener su reacción.

No se enoje. Recuerde que la etapa del no es normal en el desarrollo de su niño preescolar y que pronto pasará. Si usted se enoja, él entenderá que usted le presta atención porque él dice que no; y atención y poder son precisamente lo que él quiere.

Nathan el negativo

La palabra que más le gustaba decir a Nathan, un pequeño de un año y ocho meses, era la palabra que a sus padres menos les gustaba oír: No. Como Nate usaba esa palabra para contestar a todas las preguntas que le hacían, sus padres comenzaron a dudar de sus facultades mentales. "¿No puedes decir *nada* fuera de no?" le preguntaban a su hijo, sólo para recibir su acostumbrada respuesta.

De modo que los Shelbs trataron de reducir el número de veces que *ellos* usaban la palabra no durante el día, para ver si eso produciría algún efecto en el vocabulario de Nathan. En vez de decir solamente: "No, ahora no", cada vez que Nate pedía una galleta, le decían: "Sí, te daré una galleta cuando te hayas comido la cena".

Aunque en realidad seguían diciendo no, Nate no reaccionaba en forma negativa — respondía favorablemente a la promesa de sus padres y, efectivamente, recibía su galleta inmediatamente después de la cena.

Cuando los padres de Nate cambiaron sus noes por síes, el pequeño comenzó a aumentar su uso del sí, una palabra que fue recibida inmediatamente con sonrisas, abrazos y felicitaciones de sus encantados padres. "Gracias por decir sí cuando te pregunté si querías que te bañara", le decía su madre. Estaban encantados de que su hijo disminuyera sus noes en proporción directa a la cantidad de elogio que recibía por decir sí.

Los Shelbs también procuraron limitar el número de preguntas para contestar sí o no que le hacían a Nate. En vez de preguntarle *si* quería algo de beber con su cena, le decían: "¿Quieres jugo de manzana o leche, Nathan?" y Nathan, muy contento, elegía uno de los dos. Sus esfuerzos constituían métodos nada enojosos para controlar el "negativismo" de su hijo, y pronto descubrieron que en su hogar reinaba un tono más positivo.

Las pataletas

A millones de preescolares normales y adorables les dan pataletas como una forma de enfrentar la frustración o el enojo y de decirle al mundo que ellos son los que mandan. ¿La cura? Las pataletas pueden llegar a ser menos frecuentes y hasta evitarse si no se le da al actor un público ni se cede a sus caprichos. Aunque usted quisiera ceder o esconderse debajo del mostrador más cercano cuando a su hijo le da una pataleta en público, sea paciente hasta que le pase y elógielo por haber logrado controlarse, una vez esté más calmado.

Observación: El llanto común y periódico no es una pataleta y debe tratarse en forma diferente. Busque ayuda profesional si a su hijo le dan más de dos o tres pataletas al día.

Cómo evitar el problema

Enséñele a su hijo a enfrentar la frustración y el enojo. Muéstrele a su hijo cómo los adultos como usted pueden hallar formas de enfrentar los problemas sin gritar ni chillar. Cuando a usted se le queme la cazuela de carne, por ejemplo, en lugar de tirar la olla quemada a la basura, diga: "Ahora estoy molesta, cariño, pero me controlaré. Buscaré la forma de resolver este lío viendo qué otra cosa puedo preparar rápidamente para la cena". No importa cuál sea la situación, enséñele a su hijo a considerar las opciones que tiene para solucionar sus problemas en lugar de ponerse violenta por su causa.

Déle palmaditas en la espalda. Trate de sorprender a su hijo cuando se esté portando bien. Por ejemplo, cuando él le pida que le ayude a armar un rompecabezas complicado, elógielo. Dígale: "Estoy muy contenta porque me pediste ayuda en lugar de ponerte furioso con el rompecabezas". Ayudándole a su hijo a enfrentar su frustración y su enojo calmadamente, le ayuda a sentirse bien consigo mismo. Usted lo encontrará repitiendo una técnica calmada para solucionar un problema cuando él sepa que será elogiado por ello. Sin embargo, cuéntele que usted entiende que se siente frustrado, diciéndole: "Yo sé cómo te sientes cuando las cosas se ponen difíciles, y estoy realmente orgullosa de ti por saber arreglártelas".

No deje que el tiempo de juego siempre signifique tiempo a solas. Saber que portarse bien significa que mamá o papá se va, aumenta la posibilidad de que su hijo se porte mal sólo para lograr que usted vuelva a su escenario de juego.

No espere a que le hagan una invitación. Si usted descubre alguna dificultad que amenaza enturbiar las actividades de juego o de comida de su hijo, por ejemplo, no la deje fermentar demasiado tiempo. Cuando usted vea que se trata de una situación que él no puede controlar o aliviar, dígale: "Apuesto a que esta pieza del rompecabezas va aquí" o "Hagámoslo así". Muéstrele cómo hacer funcionar el juguete o comerse los alimentos, y luego deje que *él* termine la tarea para que se sienta bien en cuanto a su capacidad de dejar que otros le ayuden.

Cómo resolver el problema

Lo que se debe hacer

No haga caso de la pataleta de su hijo. No haga nada por él, con él ni para él durante el espectáculo. Enséñele que una pataleta no es la forma de captar la atención de usted, ni la forma de conseguir que sus deseos sean atendidos. Pero ¿cómo hacer caso omiso de un huracán que causa estragos en la sala? Aléjese de él durante la pataleta, vuélvale la espalda, mándelo a su alcoba, o retírese usted. Si se comporta en forma destructiva o si representa un peligro para sí mismo o para otros en público, súbalo al automóvil o póngalo en cualquier otro sitio cerrado. No lo mire siquiera durante el aislamiento. Aunque es duro apartarse, trate de mantenerse ocupada en otro cuarto de la casa o en otra actividad en público.

Trate de mantenerse firme. A pesar de la intensidad de los alaridos y de los golpes que da su hijo, asegúrese de poder dominar la situación, manteniéndose firme en su regla sobre el asunto. Diga para usted que es importante para su hijo aprender que no puede tener todo lo que quiera cuando quiera. Su hijo está aprendiendo a ser realista, y usted está aprendiendo a ser consecuente y a fijarle límites para un comportamiento aceptable o inaceptable.

Permanezca lo más calmada posible. Dígase: "Esto no es nada. Yo puedo controlar a mi hijo mientras le enseño a controlarse a sí mismo. Sólo está tratando de alterarme para que le dé lo que él quiere". Permanecer calmada y no hacerle caso es el mejor ejemplo para él cuando esté alterado. De modo que ocúpese en sus asuntos.

Elogie a su hijo. Apenas esté amainando la furia de una pataleta, elogie a su hijo por haber logrado dominarse, y luego dedíquense los dos a una actividad o un juego favorito que no sea frustrante ni para él ni para usted. Dígale: "Me alegro de que te sientas mejor ahora. Te quiero, pero no me gustan los gritos ni los alaridos". Puesto que ésta es su única referencia a la pataleta, le ayudará a saber que fue la pataleta a la que usted no le hizo caso, no a él.

Explíquele los cambios de las reglas. Si usted y su hijo están en una juguetería y él le pide que compre un automóvil de juguete que anteriormente estaba fuera de su alcance, usted puede cambiar de parecer — pero también cambie su mensaje. Dígale: "¿Recuerdas la última vez que estuvimos aquí y te dio una pataleta? Si te portas bien y no te alejas de mí, te compro el automóvil". Esto le ayudará a entender que no fue la pataleta lo que hizo que usted cambiara de parecer; usted está comprando el automóvil por otra razón. Si quiere, dígale las razones por las cuales cambió de parecer, especialmente si entre ellas está un elogio por haberse portado bien.

Lo que no se debe hacer

No le dé razones ni explicaciones. Tratar de razonar con su hijo o de convencerlo de que desista de la pataleta *durante* la pataleta es perder el tiempo. Eso lo tiene a él sin cuidado — está en pleno espectáculo, y ¡él es una estrella! Cualquier discusión en ese instante sólo fomenta la pataleta porque le proporciona el público que él quiere.

¡Que no le dé a usted una pataleta! Dígase: "¿Por qué tengo que actuar como un loco? Yo sé que cuando dije no, tenía mis razones". Perder los estribos sólo anima a su hijo a seguir presionando.

No menosprecie a su hijo. El hecho de que le haya dado a su hijo una pataleta no significa que él sea malo. No le diga: "¡Eres un niño malo! ¿No te da vergüenza?" Su hijo perderá el respeto de sí mismo y tendrá la sensación de que de ningún modo merecía lo que quería.

No se convierta en historiador. No le recuerde a su hijo la pataleta más tarde. Con esto sólo le presta más atención al comportamiento y aumenta la posibilidad de que le dé otra pataleta con el único fin de convertirse en el centro de la conversación de usted.

No le haga pagar a su hijo la pataleta. Mostrarse indiferente con él *después* de la pataleta, sólo servirá para que le den más pataletas, para tratar de atraer la atención de usted. No le haga dar la sensación de que no lo aman o lo quieren sólo porque su comportamiento fue inaceptable.

La hora de las rabietas

Donald y Mary MacLean estaban preocupados por su hija de dos años, Amy, a quien le daba un tremendo ataque de "pataletitis" cada vez que le negaban la galleta que pedía antes de la cena. Cuando sus padres decían no, ella gritaba sí, tiraba del pantalón a su padre y saltaba de rabia en el piso de la cocina, hasta que tanto ella como sus agobiados padres quedaban tan extenuados que, finalmente, cedían.

Totalmente descorazonados, los MacLeans se preguntaban qué estarían haciendo mal. ¿Era tan terriblemente malo decirle a Amy que no cuando exigía algo? Lo que finalmente se les ocurrió fue que las rabietas de Amy eran más frecuentes cuando ellos decían no. También se dieron cuenta de que si cedían a los incontrolables deseos de Amy de comerse una galleta antes de la cena, sólo fomentaban su mala conducta.

Cuando a Amy le dio otra de sus pataletas, ya estaban preparados con una nueva estrategia. Cuando la rabieta estalló, en vez de decir no, Mary dijo flemáticamente: "Amy, yo sé que quieres la galleta, pero no te la daré hasta que te calmes, en primer lugar, y hayas terminado tu cena, en segundo lugar".

Amy siguió con su pataleta, pero sus padres simplemente se alejaron de su enfurecida hija, dejándola sin público para su gran espectáculo. Aunque era duro dejar de echarle una mirada a su encolerizada hija, los MacLeans esperaron hasta que se calmara antes de regresar a la cocina. Sin ninguna atención física ni verbal, Amy dejó de gritar y estaba esperando a ver si sus padres cumplirían lo que habían prometido.

Cuando dejó de gritar, su padre apareció sonriendo y dijo: "Amy, yo sé que tú quieres esa galleta ahora, pero cuando hayas terminado de comer y cuando vayamos a tomar el postre, puedes comerte la galleta. Me alegro de que ya no estés gritando ni dando alaridos. Es bueno ver que te controlas". Amy se sentó a la mesa sin protestar, y, cuando terminó de comer, sus padres le dieron una galleta, tal como le habían prometido.

Los MacLeans se felicitaron esa noche por haberse controlado no cediendo ni proporcionándole espectadores a la pataleta de Amy. Aunque en ocasiones posteriores estuvieron tentados a ceder nuevamente, continuaron apartándose de su hija cuando le daba una pataleta, y elogiándola cada vez que reaccionaba pacíficamente cuando le negaban algo. La frecuencia de las pataletas de Amy disminuyó hasta el punto de que la niña lloraba alguna que otra vez cuando sufría una decepción, pero no volvió a hacer las violentas escenas que solía hacer antes.

Lloriquear

Así como los adultos muchas veces están de mal humor sin motivo aparente, prácticamente todo pequeño en algunas ocasiones no parece tener motivo para lloriquear ni estar irritado. Si usted sabe que todas las necesidades de su hija están satisfechas (está seca, se alimentó, etc.), la razón por la cual su pequeña está indispuesta y lo demuestra es que quiere que le presten atención y la dejen hacer lo que quiere. Aunque no es nada fácil, no hacerle caso a un gruñón sí ayuda a disminuir gradualmente el lloriqueo. Su hija pronto aprenderá una importante regla de la casa — pedir las cosas en tono amable surte más efecto que pedirlas de mal genio o con brusquedad.

Cómo evitar el problema

Píllelos cuando se estén portando bien. Elogie todo buen comportamiento y todo esfuerzo exitoso por hacer las cosas bien, para evitar que su hija se queje y rezongue porque "nada de lo que ella hace está bien".

Mantenga sus necesidades satisfechas. Asegúrese de que su hija coma, se bañe, se vista, duerma y reciba bastantes abrazos tan regularmente (para ella) como sea posible, para evitar que se irrite porque se siente incómoda y porque está tan acongojada por una situación, que no puede contarle a usted lo que siente sin llorar.

Cómo resolver el problema

Lo que se debe hacer

Enseñe lo que es y lo que no es lloriquear. Asegúrese de que su hija sepa exactamente lo que usted quiere decir con la palabra "lloriquear" cuando le pida que, por favor, no lloriquee. Luego explíquele la forma en que a usted le gustaría que le pidiera algo o le dijera lo que quiere sin lloriquear. Dígale, por ejemplo: "No te daré el jugo de manzana hasta que me lo pidas amablemente. Así es como me gustaría que me pidieras el jugo de manzana: «Mamá (o papá), ¿puedo tomar un poco de jugo de manzana?»'' Si su hija todavía no habla, muéstrele cómo señalar o llevarlo a usted hacia lo que ella quiere mediante acciones, no palabras. Hágala practicar la forma de pedir cosas en tono amable al menos cinco veces, y luego satisfaga su deseo para probarle el propósito que tenía usted.

Designe un lugar para lloriquear y llorar. Si el lloriqueo de su hija continúa inclusive después de haberle enseñado usted a expresar sus deseos en forma amable, dígale que ella tiene derecho a tener sentimientos y frustraciones que sólo el llanto puede aliviar. Dígale que puede llorar y lloriquear cuanto quiera, pero que debe hacerlo en el "lugar para llorar", un lugar que usted designe exclusivamente para llorar. Dígale que usted no quiere tener a su lado una llorona que no sabe cómo pedirle lo que quiere, y que puede regresar cuando haya terminado de llorar. Dígale, por ejemplo: "Siento que estés tan afligida. Puedes ir al lugar para llorar y regresar cuando te sientas mejor".

No haga caso del lloriqueo de su hija. Como el lloriqueo de su hija es algo que le crispa los nervios, es fácil que usted le preste más atención cuando lloriquea que cuando está tranquila, aunque esa atención no sea afecto. Use auriculares si el lloriqueo llega a superar el nivel de tolerancia, después de ponerla en la silla para lloriquear e indicarle que le dé salida a la frustración.

Señale horas en que no se puede lloriquear. Para mostrarle a su hija cuán diferentemente reacciona usted cuando ella lloriquea y cuando no lloriquea, elógiela inmediatamente cuando se calme diciéndole: "¡Te estás portando muy bien; busquemos un juguete!" o "¡No te he oído llorar en mucho tiempo!" o "Gracias por no lloriquear".

Lo que no se debe hacer

No ceda cuando el niño esté lloriqueando. Si usted le presta atención a su quejumbrosa hija hablándole o dándole lo que está pidiendo con lloriqueos, le está enseñando que lloriquear es la forma de conseguir lo que ella quiere.

Usted tampoco lloriquee. Las quejas de los adultos pueden parecerle a su hija lloriqueo. Si usted se queja, su pequeña imitadora dirá para sí que tiene que estar bien que ella lo haga. Si usted está de mal humor, no se enoje con su hija porque está enojado con el mundo. Simplemente dígale a su hija que usted está molesto, pero no lloriquee.

No se ponga furioso con su hija. Sólo porque su hija tiene un día malo, no se ponga usted furioso. Ella no sólo confundirá los arranques suyos con atención, sino que el hecho de que usted se enfurezca le dará la sensación de que tiene poder sobre usted. Podría seguir lloriqueando únicamente para mostrarle a usted que ella es la que manda.

No detenga el lloriqueo y el llanto castigando. La vieja respuesta "Te voy a hacer llorar por algo", solamente crea conflictos entre usted y su hija, le da a entender a ella que nunca se debe llorar, y la hace sentir culpable por estar de mal humor. Déjela que llore y lloriquee con restricciones, porque el llanto puede ser la única forma que su hija conoce para desahogar las frustraciones a esa edad, particularmente si todavía no habla.

Recuerde: Esto no es para siempre. Su hija podría tener un mal día o pasar por un período en que nada parece agradarle, así que puede pasar más tiempo lloriqueando o llorando sobre la vida en general hasta que vuelva a estar en armonía con su mundo. Dígase usted: "Esto también pasará", y trate a la vez de hacerle la vida lo menos frustrante posible a su hija, elogiándola siempre que se comporte bien.

La silla para lloriquear

Desde el momento en que Marsha Brenner, una pequeña de tres años, se despertaba por la mañana hasta que cerraba los ojos por la noche, no hacía más que lloriquear: "¡Mamá, quiero comer! Mamá, ¿qué dan en la televisión? Mamá, ¿a dónde vamos? ¡Mamá, mamá, álzame, mamá!"

La señora Brenner trataba de hacer caso omiso de la bulla que armaba su hija y cedía a sus caprichos para lograr que se tranquilizara, pero el sonsonete del lloriqueo y el gimoteo empezó a destrozarle los nervios, hasta que un día gritó: "¡Marsha! Deja ese estúpido lloriqueo. ¡Suena horrible!"

Como con su propia gritería y sus alaridos sólo logró que aumentaran los de Marsha, la señora Brenner sabía que tenía que valerse de otro medio para lograr que su hija dejara de lloriquear. Decidió ensayar una versión de Tiempo Fuera de Acción, una técnica que trataba de usar cada vez que su hija se portaba mal.

"Esta es la silla para lloriquear", le dijo a su hija la mañana siguiente, cuando comenzó su acostumbrada rutina de lloriqueo. "Siento que ahora estés lloriqueando. Cuando hayas terminado, puedes levantarte de la silla y jugaremos con tus muñecas". Enseguida sentó a su hija en la silla que había destinado para ese propósito; luego se marchó, asegurándose de no estar por ahí cerca prestándole atención.

Cuando la señora Brenner no oyó ningún sonido procedente de la silla de lloriqueo, regresó al lado de su hija y la elogió por dejar de lloriquear: "Me encanta que no lloriquees. Ahora juguemos".

Cuando la señora Brenner se dio cuenta de que su hija se sentaba en la silla para lloriquear casi diez veces al día, decidió tomar otra medida y enseñarle a Marsha qué hacer para que no la sentaran en la silla para lloriquear.

"Si me lo pides sin lloriquear, te daré algo de beber", le explicó a Marsha ese día, y le mostró cómo decir "Por favor, mamá, ¿me das algo de beber?" La pequeña seguía las instrucciones cuando quería comer o beber algo, o un juguete, cosas que anteriormente pedía lloriqueando y le negaban.

Aunque el lloriqueo de Marsha nunca cesó por completo (su madre se dio cuenta de que a veces seguía lloriqueando en sus días malos), la señora Brenner llegó a tener una relación mucho más feliz con su hija.

Contestar con insolencia

Cuando las contestaciones insolentes — el sarcasmo, las réplicas cortantes y las indirectas desagradables — brotan de la boca de su anteriormente angelical preescolar, usted llega a percatarse dolorosamente de la capacidad que tiene su hijo para imitar palabras (tanto buenas como malas) y para controlar su mundo con ellas. Las respuestas insolentes sólo se aprenden (como todo lenguaje) cuando se está expuesto a ellas; así que limite las oportunidades que tenga su hijo de oír palabras desagradables. Controle la televisión, a los amigos y su propio lenguaje, a fin de eliminar las respuestas insolentes de su vocabulario.

Cómo evitar el problema

Háblele a su hijo como a usted le gusta que le hablen. Enséñele a su hijo a usar el lenguaje que usted quiere oír. Diga "gracias", "por favor" y "lo siento". Enséñele también que no siempre se considera respuesta insolente lo que diga sino la forma en que lo diga.

Determine lo que es una respuesta insolente. Con el propósito de reaccionar en forma racional a la conducta verbal cada vez más variada de su hijo, usted debe reflexionar acerca de lo que él diga para determinar si es una respuesta insolente o si sólo es la forma en que lo dice. Las siguientes podrían ser algunas distinciones: el sarcasmo, los insultos, las respuestas a gritos y las negativas desafiantes son actitudes insolentes; las simples negativas como "No quiero" son lloriqueo; y preguntas como "¿Tengo que hacerlo?" son expresiones de opinión.

Controle a los amigos, los medios de comunicación y el lenguaje personal. Fíjese en las palabras que se le escapan a usted, lo mismo que en las de sus amigos, colegas, familiares, y en las de los personajes de televisión, para limitar las ocasiones en que su hijo está expuesto a las respuestas insolentes.

Cómo resolver el problema

Lo que se debe hacer

Desgaste las palabras. Haga que su hijo se canse de usar las palabras que usted llama respuesta insolente, de modo que estas palabras se pronuncien rara vez en el ardor de la discusión. Dígale que repita la afirmación ofensiva durante un minuto por cada año de edad, para hacer que la frase pierda su poder. Dígale: "Siento que hayas dicho esa palabra. Voy a poner el reloj. Debes decir la palabra hasta que el reloj suene. Cuando suene, puedes dejar de decir la palabra".

No haga caso de las insolencias. Trate de no prestar atención a las insolencias inofensivas. Fingir que el suceso ni siquiera tuvo lugar despoja a quien le da la respuesta insolente de cualquier poder que pueda tener sobre usted y hace que no sea divertido ser insolente, porque no tiene gracia jugar el juego uno solo.

Felicite a su hijo cuando hable bien. Hágale saber a su hijo la clase de lenguaje que usted quiere que use, señalándole las ocasiones en que no está dando respuestas insolentes. Dígale: "Me gusta que no me contestes con un grito cuando te hago una pregunta. Fuiste muy amable". Explíquele que con frecuencia una cosa resulta injuriosa es por la forma de decirla. Dígale: "No me importa" con voz colérica, y luego dígaselo en tono agradable, para ilustrar su argumento.

Lo que no se debe hacer

No juegue a "te pillé". Como usted sabe que dar respuestas insolentes es la forma en que su hijo trata de dominarlo a usted, usted tampoco dé respuestas insolentes. Puede parecerle a él muy divertido buscar la forma de hacerlo poner furioso a usted o de atraer su atención dando respuestas insolentes, cosa que usted no debe fomentar.

No enseñe a dar respuestas insolentes. Si usted le contesta a su hijo a gritos sólo le enseñará a usar respuestas insolentes. Aunque es difícil no gritar cuando a uno lo gritan, trate de enseñarle a su hijo a ser respetuoso siendo usted respetuoso con él. Sea cortés con su hijo, como si fuera un huésped que usted tiene en el hogar.

No aplique castigos severos por respuestas insolentes. Reserve sus castigos más severos para conductas realmente graves y perjudiciales que son peligrosas tanto para él como para otros. Las respuestas insolentes son, en el peor de los casos, enojosas. No hay ninguna evidencia que respalde la creencia de que castigando a nuestros hijos por falta de respeto, los convertimos en niños respetuosos. Con el castigo sólo se logra enseñar temor, no respeto.

Las insolencias de Pat

Cada vez que la señora Loren le pedía a Pat, su hijo de cuatro años, que hiciera alguna cosa, como recoger sus juguetes o guardar su mantequilla de maní en la despensa, él gritaba: "¡No! ¡No te quiero; no lo voy a hacer!" Pat llegó a adquirir tanta experiencia en dar respuestas insolentes e insultar a los demás que cada vez que le hacían *cualquier* clase de pregunta, respondía a gritos, como si se le hubiera olvidado la forma de contestar correctamente.

"¡Ningún hijo mío hablará de ese modo!" le respondía a gritos el padre, y la forma insolente de hablar *éste* alborotaba más aún a la familia.

Una vez que los Lorens tomaron conciencia de que siendo sarcásticos y contestándole a gritos a su hijo estaban sirviendo de modelo para muchas de las conductas que Pat estaba adoptando, hicieron todo lo posible por reaccionar con serenidad a sus respuestas insolentes y por elogiar *cualquier* respuesta amable de él. "Qué bueno que hayas contestado en forma tan amable", le dijeron la primera vez que lo oyeron decir: "Está bien", cuando le pidieron que guardara los juguetes en su lugar.

No les costó trabajo empezar a controlar su enojo, porque tanto el señor como la señora Loren notaron que Pat gritaba cada vez menos, y cuando volvían a oír un lenguaje realmente insolente, fingían no haber oído.

Pero cuando Pat siguió repitiendo la palabra "idiota", una y otra vez, esforzándose al máximo por lograr algo de atención, sus padres decidieron tratar de hacer que Pat "desgastara la palabra" deliberadamente. "Di «idiota» durante cinco minutos", le ordenaron. Pat dijo "idiota" tan rápido como pudo durante dos minutos, y luego, sencillamente, no pudo volver a decir esta palabra; y, con gran alegría de sus padres, ésa fue la última vez que la pronunció.

Insultar

Los preescolares en pleno desarrollo de sus facultades lingüísticas ponen a prueba el poder que tiene insultar a la gente para hacerle saber al mundo que ellos mandan y que por eso pueden hablar así. Como usted sabe que su hija está poniendo a prueba la fuerza de la palabra y la reacción que produce, enséñele que insultar nunca causará el daño que ella cree que podría causar. Reaccione con calma cuando su hija la insulte, con objeto de que se anule el efecto que ella espera que produzca el insulto. Ayúdele a su hija a practicar lo que usted predica, también cuando sea ella la víctima de un insulto; ella se dará cuenta de que este juego verbal no tiene ninguna gracia cuando se juega solo.

Cómo evitar el problema

Examine las palabras cariñosas. Evite decirle a su hija palabras que usted no quisiera que ella le dijera a otra persona. No es lo mismo decirle a alguien "demonio chiquito" que decirle "muñequita".

Enseñe substitutos para no ser una víctima de insultos. Enséñele a su hija una forma deseable de reaccionar cuando ella sea la víctima de alguien que insulta. Dígale: "Cuando tu amiga te insulte, dile que no puedes jugar con ella cuando sea grosera".

Determine qué es y qué no es una mala palabra. Asegúrese de haberle advertido a su hija qué palabras no deben decirse antes de pretender que ella sepa qué palabras son "legales" o "ilegales".

Cómo resolver el problema
Lo que se debe hacer

Ponga a su hija en Tiempo Fuera de Acción. Aísle a su hija — durante un período de tiempo especificado — de un pasatiempo con que se esté divirtiendo, para enseñarle que cuando uno hace cosas que no son aceptables, pierde la oportunidad de jugar. Dígale: "Lamento que hayas dicho esa mala palabra — tiempo fuera de acción". (Véase la página 10 para más detalles sobre Tiempo Fuera de Acción.)

Desgaste la mala palabra. Desgastar la palabra ofensiva contribuye a que sea menos sensacional pronunciarla. Siente a su hija en una silla y haga que repita la palabra sin parar (un minuto por cada año de edad). Si se niega a hacerlo (millones de preescolares independientes se niegan), simplemente téngala sentada hasta que empiece, sin importar el tiempo que se necesite.

Reconozca un lenguaje correcto. Elogie a su hija cuando no esté insultando, para mostrarle cuál lenguaje le aprueba usted y cuál no.

Cíñase a la forma en que debe reaccionar. Cada vez que su hija insulte, reaccione en la misma forma, con el propósito de enseñarle que insultar no es un juego que usted quiere jugar. Dígale, por ejemplo: "Lamento que hayas hecho un insulto. Ahora tendrás algún tiempo fuera de acción" o "Ahora tienes que desgastar la palabra".

Lo que no se debe hacer

No enseñe a insultar. Como es tan irritante que lo insulten a uno, es fácil que usted le lance a su hija las mismas palabras ofensivas que ella le dice a usted, como: "¡Eres una imbécil! Sabes muy bien que no debes insultar". Esto autoriza a su preescolar a emplear las mismas palabras insultantes que usted emplea. Canalice su ira en una explicación sobre cómo y por qué está usted tan disgustada, para que su hija aprenda cuáles palabras y acciones de ella le agradan o le desagradan a usted, y para que sepa en qué forma usted quisiera que ella reaccionara cuando tenga deseos de insultar.

No imponga castigos severos por insultar. Si usted castiga a su hija por insultar, ella insultará únicamente cuando usted no la pueda oír. Los castigos severos para remediar la mala conducta a menudo le enseñan a su hija la forma de evitar que la pillen. Una conducta por la cual se ha sido castigada no desaparece; sólo se pierde de vista.

"¡Eso no se hace!"

Max y Helen Glass se escandalizaron cuando por primera vez oyeron a Sarah, su hija precoz de cuatro años y medio, decirles a sus amigos: "¡Imbécil!", "¡Idiota!" y, peor aún: "¡Fuera, perro!" Nunca habían empleado esas palabras en casa, de modo que no podían entender en dónde las había aprendido Sarah, y, realmente, no sabían qué hacer al respecto.

"No insultes a la gente, Sarah. ¡Eso no se hace!" le decían a su hija cada vez que ella profería palabras ultrajantes, pero todo era en vano. En realidad, Sarah pronto empezó a lanzarles improperios a sus padres, por lo cual le pegaron, pero ella siguió con la costumbre de insultar.

Finalmente, la señora Glass ensayó otra estrategia: Se dedicó a supervisar más atentamente el juego de su hija durante el día y a poner atención cuando jugaba bien y cuando no lo hacía.

"Cómo se llevan de bien las niñas", manifestó cuando Sarah y Maria, su prima, estaban vistiendo a sus muñecas.

Pero cuando Maria trató de tomar la muñeca de Sarah para dar un paseo en el automóvil azul, Sarah le gritó: "¡Imbécil! ¡Tú sabes, Maria, que ese automóvil es *mío*!"

La señora Glass, inmediatamente y muy serena, les dijo a las niñas que las iba a separar. "Lamento que le hayas dicho «imbécil» a tu prima", le dijo a su hija. "Tiempo fuera de acción".

Luego de estar sentada cuatro minutos (un minuto por cada año de edad) en la silla de Tiempo Fuera de Acción, Sarah pronto descubrió que su mamá hablaba en serio: si Sarah insultaba a alguien, no habría más juego, y la dejarían a un lado. Sarah aprendió que era preferible tener la aprobación de sus padres y sus amigos. Sus insultos fueron cada vez menos frecuentes.

Interrumpir

Como el bien más preciado de un preescolar es la atención de sus padres, hará cualquier cosa por recuperarla cuando la aparta de ellos el teléfono, otra persona o el timbre de la puerta. Limite los trucos que su hijo inventa para atraer toda su atención, proporcionándole cosas especiales para jugar que estén reservadas para aquellas ocasiones en que usted charla con la competencia. Esto mantendrá a su hijo ocupado sin usted, mientras usted está ocupado sin él.

Cómo evitar el problema

Limite la duración de las conversaciones. Como usted sabe que la capacidad de su hijo para esperar la gratificación es relativamente limitada, sea un padre prudente y procure que sus conversaciones sean de poca duración mientras su hijo está cerca, sin nada que hacer y reclamando su atención.

Practique jugar al teléfono. Enséñele a su hijo lo que usted quiere decir con no interrumpir. Practique el comportamiento de no interrupción con dos teléfonos de juguete — uno para cada uno. Dígale: "Así es como hablo por teléfono, y así es como tú juegas mientras yo hablo por teléfono". Luego deje que sea su hijo quien habla por teléfono, y usted sea el que observa. Esto define para su hijo lo que significa interrumpir, y al mismo tiempo le señala qué conductas pueden substituir las interrupciones.

Establezca reglas para la hora de jugar al teléfono. Reúna juguetes y materiales especiales en un cajón cerca del teléfono (deje que los niños mayores de dos años y medio elijan por sí mismos). Cuando usted hable por teléfono, insista en que su hijo juegue con esos juguetes mientras usted lo vigila y le presta atención facial y verbal, sonriendo cuando le diga lo bien que está jugando. Pinturas para los dedos, acuarelas, plastilina, crema de afeitar y marcadores mágicos, por ejemplo, son juguetes que requieren supervisión en el caso de los preescolares, de modo que deben estar a su alcance sólo cuando usted esté ahí para vigilar. Antes de seleccionar usted los juguetes para el cajón, reflexione acerca de cuán hábil es su hijo para jugar con ellos sin supervisión paterna, con el propósito de reducir la necesidad de interrumpir la conversación telefónica sólo para controlar el juego del niño.

Cómo resolver el problema

Lo que se debe hacer

Elogie a su hija por jugar tranquilamente sin interrumpir. Si su hija recibe atención (sonrisas, elogios, etc.) cuando se porta bien y no interrumpe, no necesitará o no querrá interrumpir su conversación para meter su cucharada. Excúsese con la persona con quien está hablando y dígale a su hija: "Gracias por jugar tan formal con tu muñeca. Estoy muy orgullosa de ti por divertirte a solas".

Haga que su hijo participe en su vida. Trate de incluir a su hijo en su conversación cuando un amigo lo visite, por ejemplo, para disminuir la posibilidad de que lo interrumpa con el propósito de que usted se percate de su presencia.

Lo que no se debe hacer

No se enoje ni grite a su hijo por interrumpir. No fomente el hábito de interrumpir mostrándole a su hijo cómo hacerlo.

Usted tampoco interrumpa a su hijo ni a otros. Aun cuando su hijo sea un parlanchín, muéstrele que usted practica lo que predica no interrumpiéndolo cuando él esté hablando.

Aplique la Regla de la Abuelita. Hágale saber a su hijo que usted pronto volverá a ser todo suyo y que puede ganarse su atención divirtiéndose mientras espera a que usted termine su conversación. Use el reloj para limitar las conversaciones; cuando suene, manifiéstele a su hijo que ya puede interactuar con usted. Dígale: "Cuando hayas jugado con tus juguetes durante dos minutos y suene el reloj, habré terminado de hablar por teléfono y jugaré contigo".

Reprenda y emplee el Tiempo Fuera de Acción. Reprenda, por ejemplo así: "Deja de interrumpir. No puedo hablar con mi amigo cuando me interrumpen. En vez de interrumpir, juega con tus automóviles, por favor". Si su hijo continúa interrumpiendo, emplee el Tiempo Fuera de Acción para no darle la oportunidad de que se le preste inmediatamente atención por interrumpir. Dígale: "Lamento que continúes interrumpiendo — tiempo fuera de acción". (Véase la página 10 para más detalles sobre el Tiempo Fuera de Acción.)

"Ahora no, Joanie"

Cada vez que sonaba el teléfono, Joanie Wilkens, una niñita de tres años, interrumpía la conversación de su madre pidiéndole jugo de manzana, un juguete que estaba en un lugar inaccesible, o haciendo una pregunta como: "¿A dónde vamos hoy?" Aunque la señora Wilkens quería contestarle a su hija, trató de explicarle calmadamente en cada interrupción: "Cariño, mamá está hablando por teléfono; por favor, no interrumpas".

Pero Joanie no le hacía caso y volvía a interrumpirla. Así que un buen día, la señora Wilkens gritó: "¡No me interrumpas! ¡Eres una niña mala!" y le dio una fuerte palmada en las nalgas para callarla. La palmada no sólo *no* hizo callar a Joanie sino que la hizo enfurecer y se puso a llorar dando unos alaridos que le impidieron a su madre continuar la conversación telefónica.

Cuanto más gritaba su madre, tanto más interrumpía Joanie — una relación de causa y efecto que la señora Wilkens finalmente entendió y decidió revertir. Ahora le prestaría atención a su hija por *no* interrumpir en vez de prestársela por interrumpir.

A la mañana siguiente, cuando su amiga Sally llamó para sostener su acostumbrada charla de los lunes por la mañana, la señora Wilkens le informó que no podía hablar en ese momento porque estaba jugando con los niños, una regla que decidió poner a prueba para reducir las posibilidades de que su hija la interrumpiera cuando estuviera hablando por teléfono.

Cuando le explicó esta nueva política a su amiga, vio a su hija jugar durante un minuto con su rompecabezas. "¡Gracias por no interrumpir!", felicitó a su hija y le dio un caluroso abrazo. Joanie se puso a jugar con los juguetes que la señora Wilkens había colocado alrededor del teléfono para esta ocasión. Los juguetes eran especialmente fascinantes para Joanie, porque se llamaban los "juguetes del teléfono" — juguetes con los cuales le permitían jugar *sólo* cuando su madre hablaba por teléfono.

Cuando la señora Wilkens colgó la bocina, volvió a elogiar a Joanie: "Gracias por no interrumpir mientras le contaba a Sally lo de la cena de esta noche", le explicó. "Ella quería una receta para molde de carne", dijo. "Estos marcadores los tengo aquí para que tú juegues con ellos, si quieres, mientras yo hablo por teléfono".

Cuando volvió a sonar el teléfono, una sonrisa de ilusión en vez de un ceño fruncido de irritación iluminó el rostro de Joanie, e igualmente, el de su madre. "Joanie, el teléfono está sonando. Juguemos con los juguetes del teléfono", le sugirió la señora Wilkens. Joan salió corriendo a buscar los marcadores, y, de vez en cuando, un "¡Qué bien juegas!" le ayudó a mantenerse ocupada bajo la mirada vigilante de su madre mientras duraba la conversación telefónica.

Comportamiento agresivo

Como elefantes en una tienda de porcelana y desbordantes de energía y vigor, muchos niños menores de seis años lanzan juguetes o se lanzan ellos mismos contra el blanco más cercano cuando se sienten frustrados, cuando están furiosos, o simplemente cuando tienen ganas de alborotar. ¿Por qué? Porque el razonamiento o la transacción no es una de sus técnicas para la solución de problemas, y tirar libros o juguetes no es más reprobable que lanzar balones. Amanse a su hija enseñándole cómo llevarse bien con otros. Indíquele y dígale breve- mente (inclusive a su hija de un año) lo que es aceptable para otras personas y para los juguetes (ilícito: pegar, morder, arrojar, fastidiar; lícito: besar, abrazar, hablar), y por qué estas acciones son buenas o malas. Haga cumplir estas reglas en forma estricta e invariable para ayudar a guiar a su hija por el camino de una conducta apropiada, y no por el camino de la destrucción en perjuicio de sí misma y de los demás.

Observación: Si el comportamiento agresivo de su hija es una característica corriente de su juego de "congeniar" y es disociadora con los amigos, con la familia y con usted mismo, busque ayuda profesional para averiguar lo que se esconde tras su juego de cólera y frustración.

Cómo evitar el problema

Supervise el juego atentamente. Para evitar que su hija aprenda un comportamiento agresivo de sus compañeros, controle la forma en que ella y sus amigos cuidan sus juguetes. No permita que una conducta agresiva produzca lesiones o daños; trate la mala conducta de los amigos de su hija como trataría la de su propia hija.

No enseñe conducta agresiva. Trate sus cosas en la misma forma en que usted quiere que sus hijos traten las cosas de ellos. Por ejemplo, si usted golpea y arroja cosas cuando está furioso, le enseña a su hija a ser agresiva cuando esté furiosa.

Señale actos de violencia, como morder y pegar, cuando vea que otro los comete. Explíquele a su hija, a una hora neutral, cómo se siente otra persona cuando la muerden o le pegan — para hacerle ver lo desagradable que es una conducta agresiva para ambas partes.

Cómo resolver el problema
Lo que se debe hacer

Dígale a su hija qué hacer fuera de pegar. Cuando su hija empiece a manifestar una conducta agresiva, déle una lista de cosas que puede hacer fuera de pegar cuando esté alterada. Dígale que puede, por ejemplo, pedir ayuda o decir: "No juego más", y simplemente alejarse del grupo de niños durante algún tiempo. Hágala repetir esa lista con usted para que se familiarice con las palabras y con la forma de emplearlas.

Felicite a su hija cuando se lleve bien con otros. Indíquele a su hija lo que es y lo que no es llevarse bien con otros, diciéndole cuánto le agrada verla compartir, esperar su turno o pedir ayuda. Simplemente dígale: "Me alegro de que compartas las cosas con tu amiga, cariño", y siempre sea específico sobre lo que usted está elogiando. Cuanto más elogio, tanto más amistoso será el comportamiento individual o de grupo.

Emplee reprimendas. Reprenda a su hija para ayudarle a entender que usted no acostumbra poner fin a un comportamiento sin motivo — y que respeta su capacidad de entender por qué usted interrumpió ese comportamiento. Una reprimenda consta de tres partes: Dar la orden para que se deje de hacer algo ("¡Deja de pegar!"), dar una alternativa para pegar ("Cuando estés enojada, simplemente aléjate del grupo"), y dar una razón por la cual hay que dejar de hacer algo ("¡Pegar duele!"). Si su hija continúa siendo agresiva, repita la reprimenda y agregue Tiempo Fuera de Acción, para darle más autoridad a la situación.

Olvide el incidente cuando haya pasado. El hecho de recordarle a su hija una agresión pasada no le enseña a no ser agresiva; sólo le recuerda la posibilidad de volver a ser agresiva.

Lo que no se debe hacer

No emplee la agresión para poner fin a la agresión. El hecho de que usted pegue sólo le da permiso a su hija para que también pegue en ciertas circunstancias.

No se desahogue cuando su hija se esté desahogando. El hecho de que usted se enoje cuando su hija pega, sólo le sugiere a ella que puede usar la agresión para lograr tenerlo a usted bajo su poder.

Mike el mordedor

A la edad de un año y diez meses, Mike Meyer había adquirido fama de ser el mordedor del vecindario, en vista de que había tenido mucha práctica mordiendo a dos hermanos mayores que lo atormentaban despiadadamente. La señora Meyer solía amenazar a su hijo menor con el propósito de poner fin a su agresividad. "Si no dejas de morder a la gente, Mikey, te daré unas palmadas", pero sabía que no tenía intenciones de cumplir su amenaza.

El hecho de que sus dos hijos mayores, de tres y cinco años, martirizaran a Mike no parecía molestar a la señora Meyer; en verdad, toda la familia siempre estaba de broma, y el hecho de que se burlaran de Mikey formaba parte, según ella, del espíritu de no tomarse a sí mismos demasiado en serio. Su esposo no estaba de acuerdo. "Piensa en cómo debe sentirse Mike con todo lo que lo atormentan por ser el bebé de la familia", dijo un día.

Aunque no quería admitirlo, la señora Meyer nunca había reflexionado acerca de este problema desde el punto de vista de Mike — que él se defendía mordiendo porque no podía competir con los ataques verbales de sus hermanos. Decidió disciplinar a los tres muchachos por cualquier tipo de agresión — quedaba prohibido morder, pegar, martirizar o tirar cosas. Decidió que ésa era la única forma de enseñarles a los dos mayores a ser modelos de buena conducta y de enseñarle a Mike a elegir la clase de juego por la cual le prestaban atención y lo elogiaban.

Al día siguiente, Mike se puso a morder a sus hermanos, como de costumbre, cuando lo trataron de gruñón. La señora Meyer regañó primero a Mike: "Deja de morder. Mordemos las manzanas, no a la gente. Morder duele", le dijo en tono calmado pero firme. También reprendió a los hermanos de Mike: "Dejen de burlarse. Uno no se burla de la gente, porque eso hiere sus sentimientos", les explicó.

Cuando las reprimendas no pusieron fin a los ataques verbales y físicos de los muchachos, la señora Meyer dio un paso más y dijo: "Lamento que estén mordiendo y atormentándose. Tiempo Fuera de Acción". Les ordenó a los tres sentarse en sillas separadas, donde debían permanecer hasta que ella decidiera que podían regresar a su juego.

Cuando la señora Meyer decidió cumplir sistemáticamente el castigo y elogiar a los muchachos cuando se llevaban bien en la casa, los tres aprendieron qué esperar cuando peleaban y cuando eran amistosos — lo cual les trajo recompensas y no tuvieron que estar todo el día aislados en una silla. Mike empezó a morder menos desde que no tuvo que competir con sus hermanos.

Explorar

Cuando apenas están dando sus primeros pasos, los pequeñines de un año sienten la alegría de explorar desde la punta del pie hasta la cabeza. Si no se les pone freno, todas las cosas y todas las personas están a su alcance, sea gateando o caminando. Su hijo de un año no sabe automáticamente qué cosas son no-noes y sí-síes, aunque a los dos años y más, es capaz de hacer la distinción, una vez que usted se lo haya aclarado. Cuando usted restrinja las aventuras de sus pequeños exploradores, tenga presente el equilibrio que usted trata de establecer entre dejar que su hijo manifieste una curiosidad normal y saludable y enseñarle lo que puede y lo que no puede hacer dentro y fuera de la casa.

Cómo evitar el problema

Procure que su casa esté diseñada a prueba de niños. Mantener las puertas cerradas y las áreas peligrosas cercadas y supervisar a los pequeños exploradores limitará el número de veces que usted diga no en un día y hará que la vida sea menos peligrosa tanto para usted como para su hijo. Los niños menores de tres años no pueden entender por qué no les permiten ir a donde ellos quieren, especialmente cuando están haciendo todo el esfuerzo posible por establecer su independencia y marcar su huella en el mundo. (Véase el apéndice uno, página 153, para mayores detalles sobre cómo diseñar la casa a prueba de niños.)

Determine lo que puede y lo que no puede tocarse. Determine lo que es lícito y revélele a su hijo la diferencia; cuanto más joven, es mejor. Dígale, por ejemplo: "Puedes jugar aquí adentro o allá, pero no en la oficina de papá".

Guarde los no-noes que no deben transgredirse. Un niño de uno, dos o tres años no entiende la diferencia que hay entre un florero valioso que ha sido dejado al alcance de su mano y uno barato.

Para mayor seguridad, guarde los objetos que no deben romperse hasta que las pequeñas mentes y manos no traten de agarrar todo a pesar de que se les haya prohibido.

Enséñele a su hijo la forma de entrar en áreas prohibidas. Explíquele a su hijo la forma lícita de entrar en áreas prohibidas, pues si nunca se le permite entrar en un cuarto o cruzar la calle, por ejemplo, le darán más ganas de hacerlo. Dígale, por ejemplo: "Puedes entrar en la oficina de mamá, pero sólo con ella u otro adulto".

Cómo resolver el problema

Lo que se debe hacer

Reprenda. Reprenda siempre a su hijo por la misma transgresión para que aprenda que usted habla en serio. Dígale: "¡Deja de entrar en este cuarto! Lamento que hayas jugado aquí adentro. Sabes que eso está prohibido. Quisiera que le pidieras a mamá que te acompañe cuando quieras entrar en este cuarto".

Ponga a su hijo en Tiempo Fuera de Acción. Si su hijo se encarama repetidas veces a la mesa de la cocina (y eso es un no-no), repréndalo de nuevo, y dígale: "Tiempo fuera de acción", para reforzar la advertencia. (Véase la página 10 para más detalles sobre Tiempo Fuera de Acción.)

Manténgase al tanto de cuándo su hijo sigue las reglas. Dígale a su hijo cuán orgullosa está de él por recordar que no debía tocar ciertas cosas. Haciéndole ese cumplido usted lo premiará por su conducta con atención y le estimulará el deseo de seguir obrando correctamente. Dígale: "Qué bueno que juegues aquí donde debes hacerlo" o "Gracias por no encaramarte a la mesa de la sala".

Enséñele a su hijo a "tocar" con los ojos, no con las manos. Dígale a su hijo que él podrá examinar una joya, un florero o un cuadro, con los ojos, pero no con las manos. Esto le da libertad para explorar el objeto deseado en forma limitada y controlada.

Lo que no se debe hacer

No haga que los no-noes sean más tentadores. Si usted se enoja cuando su hijo quebranta una norma, él descubrirá que puede atraer su atención portándose mal, lo cual podría animarlo a meterse en dificultades con más frecuencia.

No aplique castigos severos. Sin embargo, las reprimendas y el Tiempo Fuera de Acción están bien, porque no deterioran la imagen que tiene el niño de sí mismo, ni le hacen creer erróneamente que para lograr que usted le preste atención basta con romper algo.

"¡No toques!"

"La curiosidad mató al gato" era el dicho que la señora Stein recordaba oírle decir a su madre cuando ella se trepaba a los mostradores prohibidos a muy tierna edad. Ahora encontraba a su hijo de un año y tres meses, Sam, explorando lámparas y plantas prohibidas; ella sabía que el pequeño no era intencionalmente malo — sólo se comportaba como un niño normal. Pero la señora Stein sabía que sus reacciones a la curiosidad de su hijo no eran normales, ni mostraban mucha autodisciplina.

"¡No! ¡No toques!" gritaba, y le daba a su hijo una palmada en la mano o le daba unas nalgadas cada vez que tocaba cosas que él sabía que no debía tocar.

La señora Stein se daba cuenta de que Sam había cometido todos estos delitos rondando la casa a espaldas de ella, aprendiendo a evitar las consecuencias que tendría que sufrir si lo pillaban curioseando por donde le era prohibido. Así que decidió guardar bajo llave cuantas cosas pudiera, para que los objetos rompibles estuvieran fuera de su alcance, y tratar de estar con él todo el tiempo que pudiera.

"Toca con tus ojos, no con tus manos", le dijo una mañana especialmente activa cuando había comenzado a sacar todas las cosas de su joyero y un objeto que a ella se le había olvidado poner en la repisa más alta. Cambió el joyero de sitio y llevó a su hijo de regreso a la cocina, donde ambos se divirtieron un buen rato sacando todas las ollas y sartenes del aparador. También jugaron con la caja de llaves y candados y con otros juguetes que estimulaban la imaginación y la curiosidad del niño — juguetes que eran apropiados para su edad y que podía desarmar y tratar de destruir.

Una vez que Sam tuvo a su alcance cosas con las cuales le era permitido jugar, los Steins empezaron a tener una casa más segura. Aunque la señora Stein sabía que a pesar de eso tendría que controlar la curiosidad de su hijo, le permitió más libertad que antes, puesto que la casa corría menos peligro.

Ella se dio cuenta de que Sam estaba aprendiendo las reglas de "mando" una vez que asió un saco de harina con el cual le tenían prohibido jugar, pero dijo: "¡No! De mamá, no toques". Para recompensar su buen comportamiento, su madre le alcanzó una caja sellada de arroz, la cual le encantaba mover como un sonajero.

Destruir la propiedad

Los preescolares no distinguen los límites que hay entre el juego destructivo y el juego creativo si sus padres no se los graban en piedra. Por tanto, antes de que su hija celebre su primer cumpleaños, trace los límites diciéndole lo que puede y lo que no puede pintar, romper o desarmar, por ejemplo, para evitar que su artista novata, sin querer, cause daños en su propiedad o en propiedad ajena. Repítale a su hija constantemente que sienta orgullo de sus cosas y que las cuide, lo mismo que las de los demás, cuando usted le permita dar rienda suelta a sus dotes artísticas a horas y en lugares apropiados — en papel de dibujo, no en el papel de colgadura; con un teléfono de juguete para desarmar, no con el teléfono real.

Cómo evitar el problema

Déle juguetes que sean lo suficientemente fuertes como para que los examine sin destruirlos. Es natural que los preescolares traten de desarmar y volver a armar juguetes que se prestan para esta clase de actividad, lo mismo que los que no se prestan para ello. Llene el área de juego de su hija con juguetes que tengan alguna función (juguetes para apilar, juegos en que se oprimen botones) en lugar de los que simplemente permanecen por ahí inactivos (como el piano que usted no sabe tocar), con el propósito de estimular la clase de juego creativo que usted quiere fomentar.

Déle cosas para desgastar. Déle ropa vieja y papel en abundancia para que haga trabajos en papier-mâché, se disfrace, pinte o realice otras actividades, de modo que su preescolar no use materiales nuevos y costosos para sus propios proyectos inocentes.

Explique las reglas específicas sobre cómo cuidar los juguetes y jugar con ellos. Como los niños no conocen por naturaleza el valor de las cosas o cómo jugar con todos los juguetes, explíqueles la diferencia que hay entre periódicos y novelas, por ejemplo. Dígale a un niño: "Tu cuaderno para colorear es la única cosa que puedes pintar con tus crayolas. Ninguna otra cosa es para crayolas". "Los libros no son para romper. Si quieres romper algo, dímelo, y yo te daré algo". O: "Esta manzana de cera no se deshace y no se puede comer como una manzana de verdad. Si te quieres comer una manzana, te daré una".

Supervise el juego de su hija. Cuando su hija esté jugando, échele una mirada de vez en cuando, porque usted no puede pretender que ella cuide las cosas tal como usted las cuida.

Hay que observar sistemáticamente la norma sobre lo que es para jugar y lo que es para destruir. No confunda a su hija dejando que ensaye una y otra vez lo que es lícito y permitiendo que rompa lo que no debe. Ella no sabrá qué esperar y quedará desconcertada cuando usted ponga fin a su diversión castigándola por una cosa prohibida que anteriormente le era permitida.

Recuérdele a su hija que cuide las cosas. Aumente las probabilidades de mantener la destrucción reducida al mínimo haciéndole saber a su hija cuándo está cuidando sus juguetes a las mil maravillas. Esto le hace recordar la regla, le ayuda a sentirse satisfecha consigo misma y la hace sentirse orgullosa de sus posesiones.

Cómo resolver el problema
Lo que se debe hacer

Sobrecorrija el desorden. Si su hija tiene más de dos años, enséñele a cuidar sus cosas, insistiendo en que ayude a arreglar el desorden que hace. Por ejemplo, si su hija escribe en la pared, debe limpiar no sólo lo que escribió, sino todas las paredes del cuarto. Esta sobrecorrección del problema le da a su hija un sentido de la propiedad y de cómo cuidarla, ¡y al mismo tiempo le enseña a lavar paredes!

Emplee reprimendas. Si su hija tiene menos de dos años, repréndala brevemente (explíquele lo que hizo, por qué estaba mal hecho, y qué debía haber hecho) para ayudarle a entender por qué usted le interrumpió el juego.

Ponga a su hija en Tiempo Fuera de Acción. Si usted reprendió a su hija y, no obstante, vuelve a romper alguna cosa, repita las reprimendas y póngala en Tiempo Fuera de Acción. (Véase la página 10 para mayores detalles.)

Lo que no se debe hacer

No espere demasiado. Si su hija rompe algo, no le debe dar una pataleta a usted. Su cólera transmite la idea de que usted le atribuye más importancia a sus cosas que a su hija. Asegúrese de que el grado de su contratiempo guarde relación con lo que sucedió.

No aplique castigos severos. Si en las actividades de su hija no había ningún peligro, ni podía haberlo, limítese a enseñarle a cuidar las cosas como debe, en lugar de concentrarse en lo malo que hizo.

Tim el Terror

Walt y Becky Brady sabían que tenían un hijo "destructivo" de tres años mucho antes de que la profesora del jardín infantil los llamara para discutir el problema. Podrían haber horrorizado a la profesora de Tim con cuentos de sus creaciones con crayolas color púrpura en el papel de margaritas amarillas de las paredes del comedor, o de los mosaicos que hacía con las páginas de sus libros más preciados.

"¿Cuándo dejarás de hacer todos estos estragos, Tim?", gritó el señor Brady cuando le pegó a su hijo y le ordenó que se fuera a su alcoba. La niñera acababa de contarle que Tim había pintado el piso de baldosas con sus crayolas mientras sus padres cumplían su cita con la profesora. Por milésima vez tuvieron que repetir el castigo una hora más tarde, cuando el señor Brady descubrió que Tim había roto tres de sus cuentos cuando estaba recluido en su cuarto.

Decidieron que tendrían que obligar a su hijo malcriado a sufrir el castigo de su comportamiento destructivo. Cuando Tim volvió a romper la página de un libro, no lo amenazaron ni le pegaron. "Ahora tendrás que arreglar este libro, Tim", le dijeron con firmeza, lo llevaron de la mano al sitio donde guardaban la cinta pegante y le ayudaron a cortar la cantidad adecuada y a remendar el libro.

Tim no sólo tuvo que arreglar *ese* libro, sino que durante tres o cuatro días después de aquel incidente, lavó paredes, raspó crayola de las baldosas y remendó con cinta pegante algunos naipes que estaban ligeramente estropeados por uno que otro rasgón — actividades que nunca repitió, una vez que le hicieran pagar su maldad.

Cada vez que algo se dañaba, el señor y la señora Brady le explicaban lo que podía romper y lo que podía desgastar. Luego de varios días durante los cuales aprendió que tenía que ser tan responsable de las posesiones de la familia como lo eran sus padres, Tim empezó a merecerse la confianza que ellos habían depositado en él. Rebosaba de orgullo cuando sus padres lo elogiaban por cuidar sus libros, sus discos y sus animales de felpa en forma responsable, y se le caía la cara de vergüenza cuando recaía en su antiguo hábito destructivo.

A pesar de que Tim mostraba un comportamiento menos destructivo, sus padres no pretendían que cuidara sus juguetes como ellos cuidaban sus juguetes de adultos, pero se preocupaban por dar ejemplo de una conducta pulcra para que Tim pudiera ver cómo practicaban lo que predicaban en cuanto a respetar la propiedad.

Apoderarse de cosas

Como un preescolar es dueño absoluto de todo lo que hay en el mundo hasta que alguien le diga lo contrario, es conveniente enseñarle — cuanto más pequeño, mejor — a no tomar cosas de otros, a menos que ustedes lo aprueben. Los padres son la conciencia de sus hijos hasta que éstos desarrollen la suya. Por tanto, cada vez que su hijo se apodere de algo que no le pertenece, insista en que sufra las consecuencias para mantenerlo dentro de la legalidad, tanto a esa edad como después de que eche a volar.

Cómo evitar el problema

Fije reglas. Estimule a su hijo para que le diga a usted cuando quiera algo, enseñándole a pedirlo. Determine lo que se puede y lo que no se puede tomar de lugares públicos o de las casas de otras personas, y hágale saber esas reglas de juego. Una regla fundamental podría ser: "Siempre debes pedirme permiso antes de tomar algo".

Cómo resolver el problema

Lo que se debe hacer

Explíquele la forma de obtener cosas sin robar. Es posible que su hijo no entienda por qué no puede tomar lo que quiere, de modo que usted debe hacer que tome conciencia de lo que es o no es una conducta correcta. Dígale: "Puedes pedirme un chicle; si yo digo sí, puedes tomar la caja y sostenerla hasta que la paguemos".

Sea coherente. Si un día usted le da permiso a su hijo de tomar algo del anaquel de la tienda de víveres pero se lo impide a la siguiente vez que van de compras, esto le producirá a él confusión cuando trate de decidir por sí mismo lo que puede o no puede ser suyo. De modo que absténgase de obrar así.

Enséñele lo que usted quiere decir con robar. Enséñele a su hijo la diferencia que hay entre pedir prestado y robar y sus respectivas consecuencias, para asegurarse de que entienda lo que usted quiere decir con "No debes robar".

Deje que su hijo sufra las consecuencias de robar. Con el animo de ayudarle a tomar conciencia del precio que hay que pagar por robar, haga que su hijo pague el robo desempeñando trabajos ocasionales en la casa o renunciando a una de sus posesiones más preciadas. Dígale, por ejemplo: "Siento que hayas tomado algo que no te pertenece. Pero como lo hiciste, debes renunciar a algo que te pertenece". La posesión a que renuncia podría usarse algunos meses después como una recompensa por buena conducta.

Obligue a los niños a que devuelvan los objetos robados. Enséñele a su hijo que no puede quedarse con cosas que no son suyas o que le prestaron sin permiso. Haga cumplir la regla que establece que él mismo tiene que devolverla (acompañado de usted, si fuere necesario).

Imponga Tiempo Fuera de Acción. Cuando su hijo tome algo que no le pertenece, hágale saber que es necesario aislarlo de la gente y de las actividades, porque desobedeció la regla. Dígale: "Lamento que hayas tomado algo que no te pertenece. Tiempo fuera de acción". (Véase la página 10 para más detalles sobre Tiempo Fuera de Acción.)

Lo que no se debe hacer

No se convierta en historiador. No le recuerde a su hijo el incidente del robo. Sacar a colación las maldades cometidas en el pasado sólo sirve para volver a enseñarle lo que puede hacer mal, no lo que puede hacer bien.

No catalogue a su hijo. Por ejemplo, no trate a su hijo de ladrón, porque empezará a comportarse como lo cataloguen.

No le pregunte a su hijo que si robó algo. El hecho de preguntarle sólo lo anima a decir mentiras. "Sé que me castigarán. ¿Por qué no mentir para evitar el dolor?" dice para sí mismo.

No vacile en hacerle una requisa a su hijo. Si usted sospecha que su hijo robó algo, verifíquelo usted mismo haciéndole una requisa. Si descubre que sí robó algo, aplíquele el castigo correspondiente. Dígale: "Siento que hayas tomado algo que no te pertenece", y siga los procedimientos de "lo que se debe hacer".

El pequeño ladrón de tiendas

Sandy y Doug Berkley nunca habían quebrantado la ley ni habían estado presos, y tampoco querían que su hijo de cuatro años, Scott, quedara entre rejas por ello. Los esposos Berkley se preguntaban (medio en serio) si su hijo tendría un futuro fuera de la cárcel, de continuar apropiándose de chicles, dulces, juguetes y cualquier otro objeto que se le antojaba cuando él y sus padres iban de compras.

"¿Acaso no sabes que robar es malo?" le gritaba la señora Berkley a su hijo cuando lo sorprendía con las manos en la masa; le daba una palmada en la mano y le decía que era un "niño malo". Temía hacer sus diligencias en compañía de su hijo, pues le parecía espantosa la perturbación que experimentaba por el castigo físico que creía que debía aplicarle.

Pero Scott no podía en absoluto tomar conciencia de las razones por las cuales robar era prohibido. Finalmente, los Berkleys llegaron a la conclusión de que el niño era muy pequeño para comprender que no tenía ninguna gracia apoderarse de cosas que no le pertenecían. Así que empezaron a explicar la situación en términos que su hijo pudiera entender:

"Scott, no puedes tomar cosas que no pagas", comenzó a decir la señora Berkley. "Puedes pedirme una caja de chicles, y si yo digo sí, puedes tomar la caja y sostenerla hasta que la paguemos. Practiquemos".

Scott estaba encantado de complacer a su mamá, porque ahora cuando pedía chicles, tal como lo establecía la regla, su madre y su padre lo felicitaban por obedecer las reglas, y además pagaban los chicles.

Cuando Scott trató de pasar inadvertido al tomar una tableta de chocolate sin pedirle antes a su mamá que la pagara, la señora Berkley hizo cumplir su segunda regla, haciéndole "pagar" su maldad. "Como tomaste esta tableta de chocolate", le dijo a su hijo cuando regresaron al almacén, "tendrás que renunciar a la tableta de chocolate de juguete que está en tu almacén de víveres en la casa".

Pese a las protestas de su hijo, la señora Berkley le quitó el juguete que tanto le gustaba. "Para recuperar el juguete, tendrás que seguir las reglas: primero tienes que pedir permiso y no tomar lo que no se ha pagado'', le explicó su madre cuando llegaron a la casa.

Después de varias semanas en que elogiaron a Scott por obedecer las reglas, la tableta de chocolate de juguete volvió a formar parte de su almacén de víveres, y el señor y la señora Berkley recuperaron su confianza en el porvenir de su pequeño hijo retozón.

El espíritu de posesión

La palabra "mío" es el santo y seña que los preescolares usan para recordarse mutuamente (y recordarles a los adultos) que ellos son dueños de su mundo y que son lo suficientemente importantes como para tener derechos territoriales cuando y como ellos quieran. A pesar de las guerras que esta palabra de tres letras desencadena en todos los hogares donde hay menores de cinco años, el espíritu de posesión estará vivo hasta que los niños estén listos, desde el punto de vista evolutivo, para dejarlo morir (entre los tres y los cuatro años). Contribuya a que prevalezcan los tiempos de paz antes y después de que su preescolar pueda llegar a un acuerdo sobre lo que es y lo que no es de ella, enseñándole constantemente las reglas universales de dar y recibir. Haga cumplir en su casa estas reglas de compartir, pero sea paciente. No espere que su hija las siga religiosamente hasta que la vea compartir sin su intervención — el glorioso indicio de que está lista para ampliar sus horizontes.

Cómo evitar el problema

Asegúrese de que algunos juguetes pertenezcan estrictamente a su hija. Antes de que los preescolares puedan renunciar a la palabra "mío" y a las cosas que le agregan, hay que darles la oportunidad de poseer cosas. Por ejemplo, guarde los juguetes o frazadas favoritos para que no tengan que compartirlos cuando otros niños están de visita en la casa. Esto hará que su hija siga como dueña exclusiva de algún territorio.

Indique la forma en que usted y sus amigos comparten. Enséñele a su hija que ella no es la única persona en el mundo que debe compartir sus cosas. Déle ejemplos a horas neutrales (que no sean horas de compartir) de cómo usted y sus amigos comparten libros (diga: "Hoy Mary me pidió prestado el libro de cocina" o "Charlie me pidió prestada la cortadora de césped").

Indique lo que significa compartir y cuánto le agrada a usted.

Dígale a su hijo lo bien que él está compartiendo cada vez que le permite a otra persona mirar su juguete o jugar con él, para que compartir sea lo más atractivo posible. Dígale, por ejemplo: "Me agrada verte compartir, dejando que tu amigo juegue un rato con ese juguete".

Póngales etiquetas a algunos juguetes (en el caso de gemelos o de niños con poca diferencia de edad). Asegúrese de no confundir, por ejemplo, el osito de felpa de su hija con el del hermano o de la hermana de ella, en caso de que sean iguales. Póngales etiquetas con el nombre, o póngales un trozo de hilo para ayudarle a su hija a estar segura de que todo lo que es suyo no le pertenece también a su hermano o hermana.

Establezca reglas para compartir. Antes de que lleguen los amigos a jugar, dígale a su hija lo que se espera de ella a las horas de compartir en grupo. Por ejemplo, enséñele esta regla: Si sueltas un juguete, cualquier niño puede jugar con él. Si lo tienes en las manos, puedes quedarte con él.

Entienda que es posible que su hija comparta mejor en la casa de un amigo. Como su hija no está en su territorio, es posible que desempeñe un papel más pasivo cuando está en otra casa y asuma una actitud más posesiva y agresiva cuando está en su propia casa.

Recuerde que compartir es una tarea evolutiva. Aprender a compartir es un logro que no se puede apresurar. Normalmente, a los tres o cuatro años, su hija empezará a compartir cosas por sí misma, sin necesidad de recordárselo.

Cómo resolver el problema
Lo que se debe hacer

Supervise el juego de los niños de uno a dos años. Como no es de esperarse que los niños menores de tres años compartan, permanezca al lado de ellos mientras estén jugando, para ayudarles a resolver conflictos acerca de compartir, conflictos que ellos, por ser tan pequeños, no pueden resolver sin ayuda.

Ponga el reloj. Cuando dos niños afirmen que un juguete es "mío", muéstreles cómo funciona el dame y toma de compartir. Dígale a uno de los niños que usted va a poner el reloj y que, cuando suene, el otro niño puede jugar con el juguete. Siga con la rutina del reloj hasta que se cansen del juguete (generalmente después de que el reloj haya sonado dos veces).

Ponga los juguetes en Tiempo Fuera de Acción. Si un juguete es la raíz del problema porque uno de los niños no está dispuesto a compartir, ponga el juguete codiciado en Tiempo Fuera de Acción, para que esté fuera del alcance de los niños. Si los niños ya no tienen el juguete, éste no puede causar ninguna dificultad. Dígales: "Este juguete está causando dificultades; debe ponerse en tiempo fuera de acción". Si los niños siguen peleando por el juguete después de traerlo usted de nuevo, continúe guardándolo para hacerles comprender que no compartir un juguete significa que nadie juega con ese juguete. (Véase la página 10 para mayores detalles sobre Tiempo Fuera de Acción.)

Lo que no se debe hacer

No se altere. Recuerde que su hija aprenderá la regla de compartir cuando ella pueda hacerlo, no por la fuerza ni porque usted se lo exija. Cuando vea que su hija está compartiendo — ¡usted se enterará de que está preparada para ello!

No castigue por no compartir una que otra vez. Guarde el juguete que es objeto de la disputa, en vez de castigar a su hija, si ocasionalmente no puede compartir alguna cosa. Así la culpa es del juguete, no de su hija.

Aprendiendo a compartir

Mark Gold, un pequeñuelo de tres años, sabía lo que significaba la palabra "compartir" — significaba que no podía sentarse y acaparar cuantos juguetes quería cada vez que su amigo Jim iba a su casa a jugar con él.

"¡Tú *tienes* que compartir!" le dijo la señora Gold a su hijo después de otro día que Mark pasó sujetando cuanto juguete pudo y diciendo "mío" cada vez que su madre le repetía "Vamos, Mark, comparte las cosas".

"Voy a regalarles todos tus juguetes a los niños pobres, que saben apreciarlos", le gritó un buen día la señora Gold a Mark. Después de amenazarlo, le pegó, hasta que logró que, deshecho en lágrimas, entregara sus juguetes.

Esa misma noche, después de acostar a su hijo, la señora Gold le comentó a su marido: "Mark simplemente *no sabe* compartir", afirmación que, en opinión del señor Gold, arrojó una nueva luz sobre el problema. Tanto él como su esposa decidieron que tenían que *enseñarle* a Mark qué significaba exactamente compartir.

Cuando la señora Gold se enteró de que su hijo pronto estaría nuevamente en la compañía de sus dos primos, lo llamó aparte para conversar con él. "Mark, ésta es la regla de compartir: Cualquiera puede jugar con cualquier cosa de esta casa siempre y cuando que ningún otro la tenga en sus manos. Si tú o Mike o Mary están jugando con un juguete, por ejemplo, nadie puede quitárselo. Cada uno de ustedes puede jugar con un solo juguete a la vez". Mark y su madre decidieron entonces de cuál juguete menos soportaba desprenderse, para guardarlo y así evitar que fuera causa de discordia durante la visita de los primos.

Las siguientes horas fueron tensas para la señora Gold, pero Mark parecía estar bastante tranquilo. Se puso a jugar con un solo juguete, y dejó que sus primos eligieran entre todos los que había en el cajón de los juguetes. "Estoy muy orgullosa de ti por saber compartir", lo elogió su madre cuando, muy vigilante, supervisaba la operación.

Cuando se atrevió a dejar a los niños para ir a preparar el almuerzo, el consabido grito "mío" la hizo regresar al cuarto de juego. Mary y Mark estaban descuartizando a la nueva muñeca que daba eructos por sí sola. "Este juguete está causando dificultades", declaró la señora Gold sin dejarse emocionar; "hay que ponerlo en tiempo fuera de acción". Los niños no podían creerlo cuando vieron a la pobre Betsy sentada en la silla de Tiempo Fuera de Acción, con una expresión más triste que la de un perro abandonado. Después de dos minutos, la señora Gold les devolvió el juguete a los niños, que hacía mucho se habían olvidado de él y estaban ocupados jugando con los cubos.

A medida que iban pasando las semanas, todos los niños jugaban unos con otros sin que se necesitaran tantos Tiempos Fuera de Acción para restablecer la paz, ante todo porque Mark estaba más dispuesto a dejar que "sus" juguetes fueran los juguetes de "ellos" durante la hora de juego.

Luchar contra las rutinas de aseo personal

Hay gran abundancia de productos, desde un champú que no irrita los ojos hasta pañales desechables, que hacen que el baño, el cambio de panales y el lavado del pelo sean lo más agradables posible tanto para los preescolares como para sus padres. Se espera, e inclusive se predice (como estos fabricantes bien lo saben), que los preescolares encuentren desagradables las rutinas de limpieza, así que no se sienta mal cuando tenga que insistir en ellas. Procure que las tareas de aseo personal sean lo menos fastidiosas posible, distrayendo a su hijo (cante canciones, cuente cuentos) y elogiando cualquier cooperación (inclusive que él le alcance el jabón).

Observación: Distinga entre los productos que irritan a su hijo físicamente (¿irrita los ojos?) y los que lo irritan mentalmente (¿son todos los jabones poco recomendables?), a ver si sus protestas le dicen más que el simple hecho de que le desagrada el evento de aseo. De ser necesario, reemplace los productos que irritan la piel por los que se recomiendan profesionalmente.

Cómo evitar el problema

Sea transigente en cuanto a la hora y al lugar del aseo. Trate de ser transigente con su hijo en cuanto al lugar en donde usted le cambia los pañales (en el sofá, de pie) o donde le lava el pelo, por ejemplo, de modo que el niño no pierda uno de sus paseos favoritos sólo para que le laven el pelo o no pueda ver un episodio de un programa de televisión aprobado por los padres sólo para que le cambien los pañales.

Procure que su hijo participe en el proceso. Ayúdele a su hijo a desempeñar un papel en la rutina de limpieza o de cambio de pañales. Pídale que le traiga cosas que él pueda cargar, según su edad, su nivel de habilidad y su capacidad de seguir instrucciones. Por ejemplo, permítale elegir una toalla o un juguete favorito como compañero de baño, para hacerle dar la sensación de que ejerce algún control en la rutina de aseo personal.

Prepare a su hijo para el suceso venidero. Hágale a su hijo alguna advertencia antes del baño, por ejemplo, para que el cambio del juego al baño sea menos abrupto. Dígale: "Cuando el reloj suene, es hora de meterse en la tina", o "Dentro de unos minutos vamos a cambiar los pañales", o "Cuando terminemos de leer este libro, es hora de tu baño".

Reúna los materiales antes de empezar. Si su hijo es demasiado pequeño para ayudarle a usted en los preparativos, asegúrese de tener todos los pertrechos a mano antes de emprender la guerra del aseo. Esto pone en marcha el proceso sin demoras innecesarias.

Desarrolle una actitud positiva. Su hijo notará horror en su voz si usted anuncia la hora del baño como si se tratara de una condena a prisión, y decidirá que, en verdad, es tan horrible como él creía si a usted también le preocupa. Como la actitud de usted es contagiosa, procure que sea una actitud que usted quiere ver imitada.

Cómo resolver el problema
Lo que se debe hacer

Permanezca sereno y no haga caso del alboroto. Una actitud serena al tratar a su hijo preocupado será contagiosa. Si usted no hace caso del alboroto, su hijo aprenderá que ningún alboroto que haga podrá conmoverlo, que es precisamente lo que él quiere cuando se resiste a que usted lo arregle. Dígase usted: "Sé que hay que ponerle los pañales a mi hijo. Si no hago caso de la bulla que hace, podré terminar esta tarea más rápida y eficazmente".

Diviértase mientras está arreglando a su hijo. Hable y juegue con su hijo mientras él está oponiendo resistencia a sus esfuerzos, recitando pequeñas poesías infantiles y cantando para distraerlo. Diga: "Cantemos «Los pollitos dicen pío, pío, pío»", o "Apuesto a que no puedes atrapar este barco y súmergirlo en el agua". No importa que sea un monólogo si su hijo es demasiado pequeño para participar verbalmente.

Anime a su hijo a que ayude y llénelo de elogios. Pídale a su hijo que se lave él mismo la barriguita, se jabone o abra el pañal (si el tiempo lo permite), para hacerle dar la sensación de que él controla y toma parte en su higiene personal. Hasta el más leve indicio de cooperación es una señal para hacerle un elogio. No escatime las palabras de estímulo — cuanta más atención reciba su hijo por actuar como a usted le gusta, más repetirá la acción para ganarse sus caricias. Dígale, por ejemplo: "Realmente me gusta la forma en que te echas el champú en el pelo", o "Gracias por ser tan bueno y acostarte mientras yo te pongo los pañales".

Ponga en vigor la Regla de la Abuelita. Dígale a su hijo que cuando haya hecho algo que usted quiere que haga (tomar un baño), él puede hacer lo que quiera (leer un cuento). Dígale: "Cuando termines de bañarte, vamos a leer un cuento", o "Cuando terminemos, puedes jugar".

Persevere en su cometido. Aunque su hijo patalee y grite porque lo están arreglando y limpiando, recuerde que usted llevará la tarea a término. Cuanto más vea su hijo que con sus gritos no podrá impedir que usted lo bañe para quitarle la mugre, tanto más entenderá que usted podrá concluir la tarea con más rapidez si él sigue la línea de menor resistencia.

Felicite a su hijo por su frescura y suavidad. Dígale a su hijo qué precioso se ve y qué bien huele; pídale que se mire en el espejo para hacerle recordar la razón por la cual necesita que lo bañen o le cambien los pañales. Si su preescolar aprende a sentirse orgulloso de sí mismo, eso ayudará a que incluya en sus propias prioridades, tanto como en las de usted, el deseo de estar limpio.

Lo que no se debe hacer

No exija cooperación. El hecho de que usted se empeñe en cambiarle los pañales a su hijo, no significa que él se quede quieto mientras usted lo muda. Actuar en forma brusca y dura sólo le enseña a comportarse en la misma forma.

Evite que el aseo personal sea doloroso. Procure conseguir toallas con las cuales su hijo pueda secarse los ojos, o una bata que pueda ponerse después del baño, por ejemplo, para que el aseo personal sea tan agradable como posible.

No eluda el aseo personal. No de pie atrás cuando se trate del aseo personal sólo porque su hijo se resiste. La resistencia al aseo puede ser superada por medio de la persistencia.

"Océanos de Diversión"

Carol y Phil Porter bañaban a su hija Pam de dos años y le lavaban el cabello con champú, exactamente como creían que lo hacía la mayoría de los padres que ellos conocían. Pero temían que algo le estuviera pasando a Pam porque gritaba y luchaba durante todos estos procesos normales de aseo; ninguno de los amigos de los Porters se había quejado de este problema, y ellos jamás lo habían experimentado con su otra hija, Elizabeth, que ahora tenía cuatro años.

Como sabían que no podían simplemente dejar a un lado el aseo de su hija, el señor y la señora Porter idearon medios y arbitrios para lograr que el aseo fuera más atractivo para ella, después de haberles asegurado el pediatra que los jabones, el agua y las toallas que usaban no eran ni perjudiciales ni irritantes. "¿Acaso no hay *nada en absoluto* que le guste con respecto al aseo?" había preguntado él.

La única actividad relacionada con el agua que los Porters sabían que le encantaba a su hija era nadar en el Océano Pacífico durante las vacaciones de verano, de modo que decidieron denominar la tina "Océanos de Diversión", a pesar de que el señor Porter creía que lo que se necesitaba era una disciplina más estricta.

Así que a la siguiente noche, los Porters pusieron en práctica su plan. Primero pusieron el reloj para que sonara a la hora de meterse en el "océano". En California siempre habían puesto un reloj para señalar la hora de ir al verdadero océano, porque Pam se lo pasaba rogándoles que la dejaran meterse en el agua allá. Esperaban que la disciplina también resultara positiva en su casa, en Minneapolis. "Cuando el reloj suene, es hora de que juegues el nuevo juego", le dijo la señora Porter a Pam la primera noche. "Terminemos de leer este libro mientras esperamos".

Cuando el reloj sonó para anunciar la hora del baño, tanto Pam como su madre reunieron toallas y jabón, mientras Pam, llena de emoción, hacía miles de preguntas sobre el nuevo juego y estaba ansiosa por saber dónde quedaba el océano.

Una sonrisa de felicidad iluminó la carita de Pam cuando

su madre la llevó al baño, donde encontró el océano más azul que jamás había visto (el resultado de espuma de baño color azul) y airosos botes navegando alrededor de un barco de juguete que sostenía una jabonera con jabón, juguetes todos éstos que la señora Porter había comprado para darle realce a la experiencia.

Pam saltó a la tina sin que hubiera necesidad de empujarla o de rogarle, y se puso a jugar con los juguetes oceánicos; su madre se puso a cantar una canción que trataba de un remolcador, y le dio a Pam un poco de champú para que se "arreglara el pelo" ella sola por primera vez en su vida.

La experiencia siguió su curso sin gritería ni alaridos, pero con un chapoteo ligeramente excesivo. Pero las dos disfrutaron el baño hasta tal punto que la señora Porter decidió bañar a Pam en el "océano" por lo menos una vez al día para darle más oportunidades de aprender a chapotear menos, a lavarse con más esmero y a disfrutar la experiencia en vez de tenerle pavor.

El desorden

La gente menuda crea un gran desorden, e, infortunadamente para los padres ordenados, los niños pequeños son, por lo general, totalmente indiferentes al desbarajuste que crean a su alrededor. Como usted sabe que su hija no es desordenada, sino que simplemente no tiene conciencia de la necesidad de arreglar el desorden que va dejando, enséñele (cuanto más pequeña, mejor) que el desorden no desaparece como por arte de magia — el que hace el desorden (y los que le ayudan a hacerlo) tiene que arreglarlo. Comparta esta realidad de la vida con su hija, pero no espere que haga las cosas a la perfección cuando siga la regla. Estimúlela para que sea ordenada, en vez de exigírselo, y elogie el más mínimo intento que haga por ser ordenada.

Cómo evitar el problema

Vaya recogiendo sobre la marcha. Por ejemplo, enséñele a su hija a guardar sus juguetes inmediatamente cuando termine de jugar con ellos, a fin de limitar el desorden a medida que ella vaya saltando de juguete en juguete. Ayúdele a adoptar el hábito de recoger, temprano en la infancia, para animarla a ser una niña más ordenada y, posteriormente, un adulto más organizado.

Muéstrele cómo recoger su reguero. Por ejemplo, déle cajas y latas de tamaño apropiado en las que ella pueda guardar sus juguetes, la arcilla, etc. Indíquele cómo acomodar las cosas dentro de los recipientes y el lugar en que se colocan éstos cuando estén llenos, para eliminar la posibilidad de que ella sencillamente no sepa lo que usted quiere decir cuando le pida que guarde u ordene alguna cosa.

Sea tan específico como pueda. En vez de ordenarle a su hija que arregle su alcoba, dígale exactamente lo que usted quiere que arregle. Dígale, por ejemplo: "Pongamos estos ganchos en el balde y los cubos en la caja", para que su hija no tenga ningún problema en seguir sus instrucciones.

Déle un surtido adecuado de materiales de aseo. No pretenda que su hija sepa qué usar para arreglar el desorden por sí sola. Déle el trapo indicado para limpiar la mesa, por ejemplo, y elogie todo el empeño que ponga en esa labor después de darle usted las herramientas propias de ese oficio.

Limite las actividades a un lugar apropiado. Asegúrese de indicarle a su hija que realice las actividades que producen desorden en los lugares en que haya menos peligro de deterioro. No espere que ella sepa que no debe destruir la alfombra de la sala cuando usted le ha permitido pintar con los dedos en ese sitio, por ejemplo.

Cómo resolver el problema

Lo que se debe hacer

Use la Regla de la Abuelita. Si su hija se niega a recoger el reguero que ha dejado, haga que su diversión dependa de que ella haga lo que usted le pide. Dígale, por ejemplo: "Sí, yo sé que no quieres recoger los cubos. Pero cuando los hayas recogido, puedes salir a jugar". Recuerde que su hija (de un año y mayor) puede ayudar a dejar las cosas en orden, aunque sea en pequeña escala, y que ella tiene que hacer lo posible, al nivel que pueda, preparándose gradualmente para tareas más difíciles.

Colabore en recoger el desorden. A veces, la tarea de arreglar el desorden es demasiado pesada para los músculos o las manos de un niño. Ayúdele a hacer el trabajo para fomentar su participación y su colaboración, dos lecciones que conviene que su hija aprenda a nivel preescolar. Viendo que su mamá y su papá ordenan sus cosas, por ejemplo, hace que ordenar sea una actividad mucho más atrayente y razonable.

Juegue a Ganarle al Reloj. Cuando la tarea de recoger los juguetes se convierta en un juego de Ganarle al Reloj, deja de ser una tarea ardua y se convierte en un juego divertido. Unase a la diversión y diga, por ejemplo: "Si recoges todos los juguetes antes de que suene el reloj, puedes sacar otro juguete". Cuando su hija tenga éxito en ganarle al reloj, felicítela y cumpla su promesa.

Elogie cualquier esfuerzo por dejar las cosas en orden. Anime a su hija a dejar todo ordenado, usando un poderoso elemento de motivación: ¡el elogio! Haga alguna observación con respecto a la labor tan estupenda que está haciendo cuando esté guardando sus crayolas; dígale: "Realmente me alegro de que hayas puesto esa crayola roja en la canasta. Gracias por ayudar a arreglar tu alcoba".

Lo que no se debe hacer

No espere perfección. Su hija sólo ha tenido unos mil días de práctica en dejar arreglado lo que va usando, de modo que no pretenda que lo haga a la perfección. El solo hecho de que lo intente significa que está aprendiendo a cumplir sus obligaciones; mejorará con la práctica y con la edad.

No castigue a su hija por ser desordenada. Su hija todavía es demasiado pequeña para entender la importancia del orden y no tiene la madurez física necesaria para mantener las cosas en orden. "Mis padres dejan sus juguetes tirados por todas partes, así que ¿por qué no lo puedo hacer yo?" podría decirse su hija cuando ve ceniceros, periódicos o bolígrafos en la mesa de la sala de estar.

No espere que los niños se preparen para ensuciarse. Su hija no conoce el valor de la ropa bonita. Déle ropa vieja que se pueda poner al revés, por ejemplo, en lugar de pretender que mantenga su ropa costosa en buen estado mientras pinta.

Desorden múltiple

John y Bev Wareman se estaban acostumbrando a todo menos al reguero de juguetes que sus gemelas de casi cinco años de edad, Margaret y Mandy, dejaban casi a diario.

"Los niños educados siempre guardan sus juguetes", les dijo la señora Wareman, tratando de convencer a las niñas de que no dejaran sus juguetes tirados en la sala después de jugar.

Como esto no surtió efecto alguno, resolvió pegarles y enviarlas a su alcoba cuando no arreglaban el caos que producían, algo que parecía castigarla sólo a ella por el desorden adicional que las niñas creaban cuando estaban aisladas.

La señora Wareman descubrió una manera de resolver este dilema cuando se dio cuenta de lo mucho que les gustaba a las niñas jugar afuera en el nuevo juego de columpios. Decidió

---

convertir esa actividad en un privilegio que había que ganarse, un privilegio que no se concedía así como así. Un buen día, cuando las niñas querían salir en vez de guardar las pinzas y la batería de cocina con que habían estado jugando, les dijo: "Esta es la nueva regla, niñas: Yo sé que quieren salir, pero sólo les doy permiso cuando tú, Margaret, hayas recogido tu batería de cocina, y tú, Mandy, tus ganchos. Yo les ayudaré".

Las niñas se miraron asombradas. No querían recoger las cosas, pero nunca antes les habían dado la orden en esos términos. La señora Wareman se puso a ayudarles a guardar los ganchos en la lata, para asegurarse de que Mandy supiera exactamente lo que significaba "guardar los ganchos". Luego abrió la talega para que Margaret pudiera guardar los utensilios de cocina en el lugar apropiado, sin dejar lugar a dudas con respecto a lo que significaba guardar la batería de cocina.

Cuando las niñas y su madre hicieron esos trabajos conjuntamente, la señora Wareman tampoco dejó lugar a dudas en cuanto a lo dichosa que estaba con el esfuerzo que habían hecho sus hijas. "Gracias por recoger las cosas. Estás haciendo un gran trabajo golpeando la lata con los ganchos. Qué bien cabe la cocina en esta talega tan pequeña", comentó, y abrazó a ambas niñas con verdadero orgullo por un trabajo bien hecho. Al momento, ambas niñas se abalanzaron a la puerta y salieron corriendo, dejando que mamá preparara el almuerzo en vez de recoger el desorden.

Durante muchas semanas hubo que ofrecerles a las niñas una recompensa para que recogieran las cosas que habían dejado tiradas, pero por fin aprendieron que guardar un juguete antes de sacar otro era un proceso mucho más rápido y les producía todos esos cumplidos de su madre.

La rivalidad entre los hermanos

Acusar a los hermanos y a las hermanas y odiar al nuevo hermanito desde el día en que invade la familia son sólo dos ejemplos de cómo la rivalidad entre los hermanos hace estragos en las relaciones familiares. Como los preescolares baten constantemente sus alas de independencia e importancia, a menudo pelean con sus hermanos por el espacio, por el tiempo y por el lugar para ser el número uno en su más importante mundo: su familia. Aunque la rivalidad entre los hermanos es una realidad de la vida hasta en las relaciones familiares más amigables por el carácter competitivo de los seres humanos, usted puede reducir su frecuencia provocando en cada uno de sus hijos la sensación de que es especial — único en su género. Para mantener en un mínimo manejable la rivalidad entre los hermanos, muestre que el llevarse bien con los demás produce otros beneficios como atención y privilegios.

Observación: Para disminuir la rivalidad concentrada en un nuevo bebé, asegúrese de jugar con su hijo mayor cuando el nuevo bebé esté despierto, lo mismo que cuando esté dormido. Esto evitará que para su primogénito el hecho de que usted le preste atención equivalga al hecho de que el bebé no está a la vista. Pasar algún tiempo juntos hace que los niños mayores piensen: "Mi mamá me presta atención tanto cuando el bebé está presente como cuando no está presente. ¡Ese bebé no es tan malo, después de todo!"

Cómo evitar el problema

Prepare a su hijo antes de que un nuevo bebé invada su mundo.
Hable con su primogénito (si tiene más de un año) de cómo él formará parte de la vida del nuevo bebé. Cuéntele en qué consistirá la vida diaria de la familia cuando llegue el bebé. Esto le ayuda a saber que cuenta con su colaboración y que no será relegado a un lugar secundario; también le dará la sensación

de que él desempeña un papel importante amando a su herma-
nita o hermanito y satisfaciendo las necesidades del bebé, tal
como lo hace usted.

Fije metas realistas con respecto a llevarse bien con los demás.
No espere que su hijo le brinde al nuevo bebé tanta ternura
como le brinda usted. Puede ser mayor, pero no se le olvide que
él también tiene necesidades y deseos que deben ser satisfechos.

Planee pasar un tiempo a solas con cada uno de sus hijos. Aun
cuando tenga que atender a media docena de niños menores
de seis años, trate de pasar algún tiempo a solas con cada uno
de ellos (por ejemplo, un baño, un paseo, una ida a la tienda de
víveres). Esto le ayuda a concentrar su atención en un solo niño
y en sus necesidades, y le permite tomar conciencia de sentimientos y problemas que pueden no salir a la superficie en
medio de la bulla del gentío en casa.

**Tenga tableros de exhibición individuales (para padres de gemelos
o de niños con poca diferencia de edad).** Exhiba la creatividad
de cada uno de sus hijos en su lugar especial para que tengan
la seguridad de que merecen una atención individual.

Cómo resolver el problema
Lo que se debe hacer

Juegue a Ganarle al Reloj. Cuando sus hijos se peleen por acaparar
toda su atención, por ejemplo, deje que el reloj determine cuándo
le toca el turno a cada niño. Esto le permite compartir su tiempo
con todos y le hace dar a cada niño la seguridad de que le llegará
el turno de ser objeto de su atención número uno, al igual que
sus hermanos y hermanas.

Ofrezca alternativas a pelear. Permitir que estallen las peleas y que
sigan ardiendo por toda la casa no les enseña a los niños a
llevarse bien unos con otros. En lugar de permitir que estén en
guerra, déles a los niños una opción con respecto a lo que
pueden hacer cuando estén peleándose — llevarse bien o llevarse mal unos con otros. Dígales: "Pueden llevarse bien y
seguir jugando, o llevarse mal y ser separados y puestos en
tiempo fuera de acción". (Véase la página 10 para más información sobre Tiempo Fuera de Acción.) Deje que se acostum-

bren a elegir entre las alternativas que tienen a su disposición, para que tengan la sensación de que ejercen dominio sobre su vida y para ayudarles a aprender a tomar decisiones por sí mismos.

Defina lo que es llevarse bien. Sea específico al elogiar a los niños cuando juegan sin pelear, a fin de asegurarse de que sus hijos saben lo que usted quiere decir con llevarse bien. Dígales: "Qué bueno que estén compartiendo las cosas y jugando sin pelear. Realmente me alegro de que se estén llevando tan bien — eso hace que jugar juntos sea divertido".

Lo que no se debe hacer

No responda a las acusaciones. Los niños se acusan mutuamente como una forma de realzar su posición frente a sus padres. Usted puede poner punto final a este juego de querer ser mejor que los hermanos diciéndoles: "¡Lamento que no se estén llevando bien!" y hacer como que no hubo acusaciones. Aun cuando le informen de una actividad peligrosa, usted puede poner término a la actividad y no hacer caso de la acusación en sí.

No ponga a un niño a acusar a otro. Pedirle al hermano mayor que le cuente a usted cuando la hermana pequeña esté haciendo algo, por ejemplo, no es la forma indicada de enseñarles a sus hijos cómo llevarse bien sin acusar.

No se altere cuando sus niños no se quieren todo el tiempo. Por la naturaleza humana, los niños no pueden vivir en la misma casa sin que exista alguna rivalidad entre ellos. Mantenga la fricción en un mínimo recompensando a sus hijos cuando se lleven bien y no permitiendo que la rivalidad se convierta en una guerra.

No guarde rencor. Una vez arreglada la disputa, no les recuerde a sus hijos que una vez fueron enemigos en la guerra. Es preferible hacer borrón y cuenta nueva.

Las guerras de Starr

La constante guerra entre Jason Starr, de cuatro años, y su hermana Julie, de dos años, hacía que sus padres se sintieran desempeñando el papel de árbitros, papel que los llevaba a preguntarse por qué demonios tuvieron hijos — especialmente unos hijos que no apreciaban los sacrificios que ellos hacían para comprarles ropa bonita, juguetes nuevos y buena comida.

Morder y atormentar eran dos de los recursos favoritos de Jason para que su hermana "se las pagara" cuando creía que ella le estaba robando la atención de sus padres. Parecía que Jason trataba de provocar a sus padres deliberadamente para que le pegaran y lo gritaran — los castigos que recibía cada vez que empezaba a lastimar a su hermana.

La única vez que la señora Starr observó que Jason se mostraba cariñoso con su hermana fue cuando le ayudó a cruzar una parte congelada de la calle. La señora Starr agradecía tanto cualquier rasgo ínfimo de bondad que le dijo a su hijo: "Qué bueno que ayudes a tu hermana. Me siento verdaderamente orgullosa de ti".

Más tarde, los Starrs decidieron que para fomentar más episodios como éste, tratarían de elogiar a sus hijos cuando se llevaran bien y de buscar una forma distinta de tratar a sus hijos cuando se pelearan.

Se les presentó la oportunidad de poner en práctica su nueva política cuando, más tarde ese mismo día, regresaron a casa después de hacer las compras y se inició una disputa por unos cubos. La señora Starr no tenía idea de quién había empezado la pelea, pero les dijo a sus hijos: "Tienen dos alternativas, niños; como yo no sé quién le quitó el juguete a quién, pueden llevarse bien y jugar y conversar como lo hicieron hace poco en el automóvil, o irse ambos a su alcoba a pasar un tiempo fuera de acción".

Ninguno de los dos les prestó atención a las alternativas que les presentó su madre — siguieron peleando por los cubos. Así que la señora Starr hizo otro anuncio: "Ambos decidieron irse a tiempo fuera de acción", y procedió a sentarlos en una silla de Tiempo Fuera de Acción.

Julie y Jason gritaron todo el tiempo que estuvieron castigados, pero después de calmarse y de darles su madre permiso de levantarse de sus sillas, tuvieron otra cara durante el resto del día. Actuaron como miembros de un mismo ejército, en vez de comportarse como enemigos, y su madre quedó encantada por no haber perdido la paciencia en un momento en que sus hijos la habían perdido.

Los Starrs continuaron elogiando a sus hijos cada vez que se llevaban bien, pusieron menos énfasis en las peleas que observaban, y aplicaron sistemáticamente el Tiempo Fuera de Acción para separar a sus hijos y para reforzar las consecuencias que se producían cuando optaban por pelear.

Accidentes en el control de los esfínteres

El control de los esfínteres es la primera lucha importante de voluntades entre padres y preescolares. La guerra estalla cuando los padres les piden a sus pequeños amantes de la independencia que renuncien a algo que es muy normal en ellos para comenzar a hacer algo que es nuevo y, a menudo, poco deseable. Para la mayoría de los niños, la parte deseable del control de los esfínteres es complacer a sus padres; así que para fomentar un control de esfínteres con la menor propensión a accidentes posible, trate de prestarle más atención a lo que su hija debe hacer (mantener los calzones secos, hacer sus necesidades en la bacinilla) que a lo que no debe hacer (hacer sus necesidades en los calzones). Ayúdele a su hija a sentir orgullo de sí misma mientras va reduciendo la probabilidad de que tenga un accidente sólo para obtener su atención y reacción.

Observación: Si su hija tiene accidentes continuos en el control de los esfínteres después de los cuatro años, consulte con un profesional médico. Este capítulo no incluye una discusión de la mojada en la cama, porque desde el punto de vista evolutivo, muchos preescolares simplemente no son capaces de permanecer secos toda la noche. Muchas autoridades en la materia creen que después de los seis años, la mojada en la cama puede considerarse un problema que puede manejarse de varias maneras.

Cómo evitar el problema

Busque señales que le digan que su hija está lista para el control de los esfínteres (la mayoría de los niños están listos alrededor de los dos años). Las señales universalmente aceptadas de que un niño está listo para el control de esfínteres son: la capacidad de permanecer seco durante varias horas seguidas; entender palabras como "bacinilla", "mojado" y "seco"; y seguir instrucciones sencillas como "bájate los calzones", "siéntate en la bacinilla", etc.

No trate de iniciar el control demasiado pronto. Un control prematuro simplemente les enseña a los niños a depender más de los padres que de su propia capacidad de manejar el control.

Haga una demostración práctica del uso correcto de la bacinilla. Familiarice a su hija con la bacinilla y con la forma de usarla, mostrándole cómo va usted al baño y luego cómo puede ella hacerlo.

Coloque lo más apropiadamente posible la bacinilla en cuanto al sitio y al momento en que ella pueda necesitarla. Por ejemplo, póngala en la cocina durante el control básico. Lleve la bacinilla con usted en las etapas iniciales del control, para ayudarle a la niña a sentirse cómoda respecto a usar la bacinilla en público.

Use un procedimiento de control de los esfínteres y cíñase a él. El procedimiento descrito en *Toilet Training in Less than a Day,* por ejemplo, responde a las inquietudes y presenta un método progresivo.

Cómo resolver el problema

Lo que se debe hacer

Recompense a su hija tanto por estar seca como por hacer sus necesidades en el lugar indicado. Enséñele a su hija a permanecer seca, diciéndole lo bueno que es mantenerse seco. Esto le ayudará a poner énfasis en las ocasiones en que hizo lo que usted esperó de ella (permanecer seca) y a prestarle más atención a esa conducta que a los accidentes. Dígale a su hija, más o menos cada quince minutos: "Mira tus calzones. ¿Están secos?" Esto también hace que sea su hija la responsable de verificar si está seca, lo cual le hace dar la sensación de que tiene más dominio sobre el asunto. Si está seca, dígale que usted se alegra de ello. Dígale: "Qué bueno que permanezcas seca".

Recuérdele a su hija la regla de los lugares incorrectos. Muchos preescolares de vez en cuando hacen sus necesidades en un lugar inapropiado (afuera, por ejemplo). Cuando su hija tenga esa experiencia, recuérdele que la regla es: "Debes hacer tus necesidades en la bacinilla. Practiquemos". Luego proceda a practicar los procedimientos correctos en el uso de la bacinilla.

Reaccione a los accidentes con serenidad. Oriente sus esfuerzos por que la niña haga sus necesidades en forma correcta, diciéndole que se ejercite en permanecer seca mediante el uso apropiado de la bacinilla. Esto le fortalece la confianza en sí misma y le muestra que es capaz de hacer sus necesidades en la forma en que usted quiere que lo haga. Si la niña está mojada, dígale: "Lamento que estés mojada. Ahora tienes que practicar la forma de mantenerte seca". Luego practiquen diez veces cómo ir al sitio en que está la bacinilla desde diversos lugares de la casa (bájate los calzones, siéntate en la bacinilla, súbete los calzones, siéntate en la bacinilla en la siguiente parada, etc.). Al practicar el procedimiento no es necesario que su hija orine o tenga una evacuación intestinal, sino que simplemente siga los procedimientos correctos de hacer sus necesidades.

Recuerde: Los niños no siempre ven la razón por la cual deben hacer sus necesidades en la forma en que nosotros queremos que lo hagan. Si a su hija no le incomoda estar mojada, subraye la importancia de permanecer seca por medio de recompensas para ayudarle a percatarse de los beneficios que esto trae. Dígale, por ejemplo: "Ya eres una niña grande porque no te mojas. Y como ya no te mojas, podemos leer un libro".

Aplique la Regla de la Abuelita en público. Cuando su hija sólo quiera usar la bacinilla cuando están en público, aplique la Regla de la Abuelita. Lleve la bacinilla de su hija con usted cuando pueda u ofrezca incentivos para usar las de otras personas, como: "No debes mojarte. Una bacinilla es igual a otra. No podemos usar tu bacinilla porque no está aquí. Cuando hayas usado esta bacinilla, podemos ir al zoológico".

Lo que no se debe hacer

No castigue a su hija en caso de accidentes en el control de los esfínteres. Con el castigo sólo se le presta atención por hacer sus necesidades en los calzones o en otro lugar incorrecto, y no se le enseña a mantenerse seca.

No haga una pregunta errónea. Decir frecuentemente "mira tus calzones" actúa como un recordatorio sutil y es un buen substituto para "¿Necesitas usar la bacinilla?", pregunta que generalmente se contesta con un no. Ayúdele a su hija a sentirse responsable de verificar su condición seca o mojada y de hacer algo al respecto, con objeto de realzar su sensación de que ya es una niña grande porque es capaz de cuidarse sola como papá y mamá.

Los "accidentes" de Kelly

Apenas el jardín infantil suspendió clases por el verano, Kelly Winter, una niñita de tres años y medio, comenzó a olvidar algo más que sus conocimientos de números y letras: sus accidentes urinarios ocasionales eran una señal de que esperaba demasiado tiempo antes de ir al baño. La señora Winter la veía "bailar" cuando se esforzaba por evitar la ida al baño.

Kelly descubrió que podía aliviar la presión física de tener que "ir", dejando caer una pequeña cantidad de orina en los calzones. Cuando su madre la regañaba y le pegaba por mojar los calzones, Kelly le contestaba que sólo se había mojado "un poquito".

La señora Winter pensó que, evidentemente, Kelly quería alguna atención por sus accidentes — ¿qué otra razón había para que le señalara que sólo se había mojado un poquito?

Después de analizar la situación, el señor y la señora Winter decidieron reinstaurar la rutina que habían empleado cuando iniciaron el control de los esfínteres de su hija el año anterior, y elogiaban a Kelly cuando tenía los calzones secos, en lugar de alterarse cuando los tuviera mojados.

"Mira tus calzones, Kelly", le ordenó la señora Winter a la mañana siguiente después del desayuno. "¿Están secos?"

La señora Winter quedó tan encantada como Kelly cuando la niña le respondió con cara de felicidad que sí estaban secos.

"Gracias por no mojarte, cariño", la elogió, y le dio un abrazo al mismo tiempo. "¡Mantengámoslos secos todo el día!"

Después de dedicarse varios días a animar a Kelly a revisar sus calzones periódicamente (y Kelly los había encontrado secos), la señora Winter pensó que había superado el problema — hasta el día siguiente, cuando Kelly se mojó de nuevo.

"Practiquemos diez veces cómo usar la bacinilla", le dijo la señora Winter a Kelly, que parecía muy triste y decepcionada porque su madre no la estuviera elogiando como la elogiaba cuando tenía los calzones secos.

Muy pronto Kelly aprendió que era más fácil ir a la bacinilla y ser elogiada por tener los calzones secos que practicar esa

rutina diez veces, y durante varios meses tuvo éxito en mantener los calzones secos.

El señor y la señora Winter tuvieron que elogiar a Kelly y
recordárselo varias veces durante el año siguiente. Tuvieron
presente que Kelly tenía que volver a establecer la forma correcta de hacer sus necesidades, y era una tarea que sus
padres querían ayudarle a realizar, en vez de enojarse y sentirse frustrados cuando ensuciaba los calzones.

Aferrarse a los padres

La imagen de un niño agarrado a la falda de su madre, aferrándose desesperadamente mientras ella trata de cocinar o de salir de la casa es una realidad para muchos padres de preescolares excesivamente apegados — es una parte muy real y emocionalmente agotadora de la vida diaria. Aunque es difícil resistir, no ceda a la tentación de quedarse en casa o de jugar con un "pegote" mientras trata de vivir su vida. Si usted quiere o necesita dejar a su hijo al cuidado de una niñera, tranquilícelo con cariño pero con decisión, y dígale que usted se siente orgulloso de él por jugar solo y que pronto regresará; dígale en tono sincero que usted se alegra de que tenga la oportunidad de jugar con la niñera. Su actitud positiva será contagiosa (como lo sería una actitud negativa) y contribuirá a que el niño se sienta bien estando separado de usted y a que se divierta mientras aprende a ser independiente. Colmar a su hijo de besos y abrazos durante horas neutrales ayuda a evitar que se sienta abandonado y que se aferre a usted para lograr atención. No es lo mismo aferrarse que abrazar — aferrarse es una llamada inmediata y urgente de atención.

Cómo evitar el problema

Adquiera práctica en dejar a su niño a temprana edad. Para acostumbrar a su hijo a la idea de que usted puede no estar siempre ahí, practique dejarlo ocasionalmente durante períodos breves (unas cuantas horas) a temprana edad.

Cuéntele a su hijo lo que tanto él como usted harán cuando usted esté fuera. Contarle a su hijo lo que usted hará cuando se haya ido le sirve de ejemplo que puede seguir cuando usted le pida que hable de las actividades que realizó durante el día. Describa lo que él hará y dónde estará usted mientras están separados, de modo que el niño no se preocupe por la suerte de usted ni por la de él. Dígale, por ejemplo: "Laura te va a preparar la cena, y, antes de acostarte, te va a leer un cuento". O dígale, por ejemplo: "Ahora tengo que preparar la cena. Cuando termine y tú hayas jugado con la plastilina, podemos leer un cuento juntos".

Jueguen al escondite. Este simple juego familiariza a su hijo con la idea de que las cosas (y usted) se van y, lo que es más importante, regresan. Los niños de uno a cinco años juegan al escondite en diversas formas — escondiéndose detrás de las manos, observando a otros esconderse detrás de los dedos y (para niños de dos a cinco años en particular) jugando al escondite en forma físicamente más activa.

Tranquilice a su hijo asegurándole que usted va a regresar. No se le olvide decirle que usted regresará — y demuéstrele que usted cumple su palabra, regresando a la hora que usted dijo que iba a regresar.

Planee actividades que su hijo sólo tenga oportunidad de realizar cuando usted esté ausente u ocupada.

Prepare a su hijo para la separación. Convénzalo de que usted se va y que él puede arreglárselas solo mientras usted está ausente, diciéndole: "Yo sé que eres un niño grande y que estarás bien mientras yo esté fuera". Si usted lo sorprende marchándose sin advertirle, él siempre podrá estar preguntándose qué día volverá a desaparecer tan repentinamente.

Cómo resolver el problema

Lo que se debe hacer

Prepárese para algo de bulla cuando usted se ausente y a su hijo no le guste. Recuerde que la bulla sólo amainará cuando su hijo aprenda la valiosa lección de que puede sobrevivir sin usted por breve tiempo. Dígase usted: "Yo sé que su llanto indica que me quiere. Necesita aprender que, aunque yo no juegue con él o me vaya, siempre regresaré y volveré a jugar con él".

Elogie a su hijo cuando se hayan separado. Haga que su hijo se enorgullezca de su habilidad para jugar a solas. Dígale, por ejemplo: "Estoy muy orgullosa de ti por entretenerte mientras yo limpio la estufa. Ya eres un niño realmente grande". Esto hará que el tiempo que esté separado de usted produzca más beneficios desde el punto de vista de ambos.

Use la silla para lloriquear. Hágale saber a su hijo que no hay nada malo en que no le guste que usted esté ocupada o lo deje, pero que el lloriqueo es molesto para otros. Dígale: "Lamento que no te guste que ahora tenga que preparar la cena. Ve a la silla para lloriquear hasta que puedas jugar sin lloriquear". (Véase lloriquear, páginas 49 a 52.) Deje que llore — pero lejos de usted.

Reconozca que su hijo necesita estar algún tiempo con usted y algún tiempo sin usted. Los descansos del ajetreo de estar juntos día tras día son necesarios tanto para los padres como para los hijos. Así que persista en su rutina diaria, aunque su hijo proteste cuando, fuera de jugar con él, usted se ocupe en otras tareas, o se altere cuando usted lo deje ocasionalmente al cuidado de una niñera.

Inicie las separaciones gradualmente. Si su hijo exije una parte excesiva de su tiempo a la edad de un año y más, juegue a Ganarle al Reloj. Dedíquele cinco minutos de su tiempo, al cabo de los cuales debe jugar cinco minutos a solas. Vaya aumentando el tiempo que juega solo por cada cinco minutos de su tiempo, hasta que su hijo pueda jugar solo durante una hora.

Lo que no se debe hacer

No se altere cuando su hijo esté demasiado aferrado. Suponga que es más agradable estar con usted que con el ancho mundo, y que su hijo prefiere su compañía.

No castigue a su hijo por aferrarse. Enséñele a estar separado de usted usando el reloj.

No le dé mensajes mezclados. No le diga a su hijo que se vaya mientras lo está abrazando o acariciando. Esto lo deja confuso y no sabe si debe quedarse o irse.

No convierta la enfermedad en una razón para romper la rutina. Procure que enfermarse no sea más divertido que estar bien; cuando su hijo esté enfermo, no le permita hacer cosas que en circunstancias normales son inaceptables. Las investigaciones sobre el manejo del dolor de los adultos indican que los niños que reciben muchísima atención especial cuando están enfermos son mucho menos capaces de manejar el dolor crónico cuando se convierten en adultos. La enfermedad debe tratarse en forma objetiva, sin hacer mayores cambios en la rutina.

"¡No me dejen!"

A Joan y Rick Gordon les encantaba la ronda de fiestas hasta tal punto que cuando su hijo Paul de cuatro años se agarraba horrorizado de sus abrigos cuando llegaba una niñera, ambos padres desechaban sus sentimientos.

"¡Vamos Paul, cariño, no te portes como un bebé! Te queremos, y es una tontería que te alteres en esa forma. Nosotros salimos todos los sábados", le explicaron a su hijo cuando le dieron el beso de despedida una noche al salir.

Pero para Paul eso no era ningún consuelo y vociferó sus acostumbradas protestas a todo volumen. "¡No se vayan! ¡No me dejen! ¡Llévenme!" gritó a voz en cuello.

Los Gordons no podían entender lo que hacían mal para que su hijo los "castigara" cada vez que querían salir de casa. ¿Acaso los odiaba tanto — se preguntaban — como para avergonzarlos frente a su niñera y mancharles la ropa de fiesta con esas manos pegajosas que se aferraban a ellos?

Cuando recogieron a sus amigos, los Reillys, y les contaron lo frustrados que se sentían, sus amigos trataron de tranquilizarlos explicándoles que su hijo se portaba así porque los amaba, no porque los odiara; que Paul se aferraba a la seguridad que ellos representaban para él. Luego les contaron cómo ellos mismos habían ayudado a su hija a adaptarse a su ausencia.

Los Gordons ensayaron la estrategia de los Reillys la noche del sábado siguiente. Antes de marcharse, prepararon a Paul para su inminente partida diciéndole: "Tú eres un muchacho grande, y no tendrás ningún problema mientras estemos en el cine. Estaremos de regreso después de que te hayas acostado, pero nos encontrarás aquí en nuestra cama por la mañana cuando te despiertes. Laura te va a preparar palomitas de maíz en el nuevo tostador de maíz, y, antes de acostarte, te va a leer un cuento. ¡Que te diviertas!" No dilataron su despedida con abrazos y lágrimas, sino que se fueron cuando Paul apenas estaba lloriqueando.

Después de este aparente éxito, cada vez que los Gordons salían, le hacían a su hijo copiosos elogios respecto a lo bien que se portaba mientras le explicaban a dónde iban, lo que iban a hacer y cuánto tiempo estarían por fuera.

Y cuando la niñera les daba un buen informe sobre Paul, le hacían saber al día siguiente lo orgullosos que estaban de él por haber jugado calmadamente mientras ellos estaban ausentes. "Gracias por haberte portado tan bien y por ayudar a Laura a hacer las galletas anoche", le decían con un cariñoso abrazo.

Los Gordons eran pacientes, pues sabían que posiblemente tendrían que esperar varias semanas antes de tener la satisfacción de salir de casa al son de pies felices en vez de pisadas fuertes y gimoteos. Entretanto no regañaban a Paul cuando se comportaba como un bebé, y al no hacer caso de su llanto, contribuían a borrar su propósito.

Cómo interactuar con extraños

"No les aceptes dulces a los extraños" es una amonestación que millones de padres de preescolares les hacen a sus pequeñines cada vez que éstos se arriesgan a salir sin ellos. Y es una advertencia válida. Los niños tienen que aprender cómo comportarse en general con extraños, así como tienen que saber cómo interactuar con personas con las cuales se espera que socialicen. Reduzca al mínimo el miedo que su hija les tiene a los extraños, enseñándole la diferencia que hay entre saludar e irse con extraños, o hacer caso de las sugerencias de un extraño, por ejemplo. Pronto su hija habrá adquirido la seguridad de saber lo que debe hacer cuando usted está presente y cuando no está.

Cómo evitar el problema

Establezca las reglas. Dígale a su hija las reglas que usted tiene sobre la forma de interactuar con extraños. Una regla básica podría ser: "A la gente que no conozcas puedes solamente saludarla, o decirle «No»". Si un extraño te pide que vayas con él o trata de darte algo, dile que no y sal corriendo a la casa más cercana, y toca el timbre.

Practiquen el procedimiento de seguir las reglas. Haga usted el papel de extraño y dígale a su hija que salga corriendo a la casa más cercana, con el propósito de enseñarle cómo seguir sus instrucciones con respecto a extraños.

No trate de atemorizar a su hija. El miedo sólo engendra confusión y no le enseña a su hija lo que debe hacer; ella tiene que aprender a usar la cabeza y los pies cuando los extraños invadan su privacidad. Si se vuelve excesivamente temerosa, destruirá su capacidad de comportarse racionalmente.

Cómo resolver el problema

Lo que se debe hacer

Recuérdele a su hija la regla elogiándole un comportamiento correcto. Si su hija saluda a un extraño cuando usted está presente, dígale que usted aprueba que siga la regla. Dígale: "Me alegro mucho de que hayas recordado que sólo debes saludar. Recuerda, eso es lo único que debes hacer".

Anime a su hija a ser amable. Los niños amables tienden a ser más fácilmente aceptados por otros cuando van pasando por la vida, de modo que es importante que le enseñe a su hija a tratar a los demás con amabilidad. Es importante distinguir (tanto para niños pequeños como para los de más edad) cuánta amabilidad hay que tener, en qué ocasiones y en qué forma.

Dé usted ejemplo de amabilidad. Muéstrele a su hija la forma correcta de ser amable saludando a la gente, inclusive a personas extrañas con las que uno se encuentra en la calle. Resulta imposible tratar de enseñarles a los niños cómo diferenciar entre los extraños que son potencialmente peligrosos y los que no lo son. Hasta los adultos a menudo se dejan engañar por criminales de "aspecto normal". Agregue a cada una de sus lecciones algunas palabras acerca de ser amable sin irse con extraños ni aceptar sus ofrecimientos de dulces, regalos, etc.

Lo que no se debe hacer

No le infunda a su hija miedo a la gente. Para ayudarle a su hija a evitar el peligro de que la aborden con propósitos deshonestos, enséñele la regla; no le enseñe a temer a la gente. El temor sólo imposibilita tomar decisiones correctamente, sin importar la edad.

No se preocupe por que su hija moleste a otros saludando. Aun cuando una persona no conteste el saludo, es bueno para su hija haber saludado en el momento y en el lugar correctos.

Manteniendo a Kevin fuera de peligro

¿Cómo podemos enseñarle a nuestro hijo Kevin de tres años y medio a ser amable y, sin embargo, mantenerlo fuera de peligro? Ese era el reto que enfrentaban el señor y la señora Docking al tratar de resolver el problema de que su amigable hijo siempre saludaba a personas totalmente extrañas por la calle. ¿Qué pasaría si les dijera algo más que el saludo a individuos indeseables?, se preguntaban llenos de preocupación.

"Algún día alguien podría aprovecharse de tu amabilidad", le explicaron al pequeño Kevin, usando la lógica de los adultos. "No les hables a los extraños", le ordenaron con firmeza cuando la primera explicación lógica que le habían dado no refrenó su ilimitada amabilidad.

Kevin le prestó tanta atención a esa orden tajante de sus padres, que se aterrorizó, le daban pataletas cada vez que sus padres querían que los acompañara a centros comerciales o tiendas de víveres, lugares en que rondaban personas extrañas. No quería ver extraños, le explicó a su madre. Eran tan malos y tan peligrosos que ni siquiera podía saludarlos.

La señora Docking se sintió frustrada al ver que sus bienintencionados métodos de proteger a su hijo produjeron un efecto totalmente opuesto al deseado. Finalmente, se dio cuenta de que Kevin no comprendía la diferencia entre saludar, cosa que no querían prohibirle, e *irse* con extraños o *recibir cosas* de ellos, lo cual los Dockings realmente querían evitar. El niño no lo entendió porque ella nunca le dio la oportunidad de entenderlo.

"Los extraños pueden significar peligro si tú te vas con ellos a alguna parte o aceptas cosas de ellos", le dijo en forma explícita a su hijo. "Por tanto, la nueva regla es que puedes hablarle a la persona que quieras, pero si te dan algo o quieren que los acompañes a alguna parte, rechaza el obsequio y el ofrecimiento y dirígete a la casa más cercana o al adulto más cercano, en un almacén". Practicaron esta regla yendo a un centro comercial y repasando las acciones de Kevin, y su madre haciendo el papel de "extraño".

Al sentirse más segura de la capacidad de su hijo, la señora Docking le recordaba la regla una vez por semana, hasta que se dio cuenta de que ya formaba parte de su comportamiento normal y que no era sólo una manera extraña de andar por el mundo. Con el ánimo de reforzar la lección, la señora Docking practicó también saludar a otras personas, cosa que su hijo le indicaba y por lo cual la elogiaba, así como ella lo elogiaba a él por seguir la regla.

El señor y la señora Docking nunca pudieron quitarse el problema totalmente de la cabeza. Se percataron de que tenían que animar a Kevin a que practicara "saludos seguros" de vez en cuando, para convencerse de que él había entendido y recordaba esta costumbre potencialmente salvavidas.

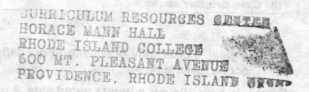
Perderse de vista en público

Los pequeños y curiosos preescolares toman nota mentalmente de lo que quieren ver y hacer en los centros comerciales, las tiendas de víveres, etc., exactamente como sus padres lo hacen en el papel. Se forma un caos cuando las dos listas no concuerdan — y los preescolares piensan que las suyas tienen prioridad. Sabiendo que la seguridad de su hijo prevalece sobre su curiosidad en situaciones peligrosas (atravesarse en el camino de los transeúntes, de los automóviles o de los carros de comestibles, por ejemplo), hágale cumplir sus instrucciones sobre cómo debe portarse, no obstante las protestas contra ellas. Obligue a su hijo a adoptar la costumbre de permanecer cerca de usted en público, hasta que ambos estén seguros de que él sepa lo que es y lo que no es peligroso — una distinción que habrá aprendido de usted.

Observación: Para fomentar en su hijo la costumbre de permanecer a su lado en público, usted debe hacer un esfuerzo especial por evitar el mal comportamiento. Una vez que su hijo se haya perdido de vista en público, lo unico que usted puede hacer es buscarlo y evitar que se aleje de nuevo, antes de que la condición de perdido adquiera carácter permanente.

Cómo evitar el problema

Establezca reglas para comportarse en público. A una hora neutral (antes o mucho después de que se porte mal), hágale saber a su hijo lo que usted espera de él en público. Dígale, por ejemplo: "Cuando estemos en el almacén, debes permanecer al alcance de mi brazo".

Practiquen con anticipación. Para que su hijo sepa cómo seguir sus reglas, practiquen antes de salir de la casa. Dígale: "Vamos a ensayar; trata de estar al alcance de mi brazo. Mira a ver cuánto tiempo puedes quedarte cerca de mí". Después del ensayo, dígale: "Fuiste muy obediente al quedarte a mi lado. Gracias por no alejarte de mí".

Enséñele a su hijo a ir a donde usted está. A una hora neutral, tome de la mano a su hijo y dígale: "¡Ven acá, por favor!", y acérquelo hacia usted. Déle un abrazo y dígale: "Gracias por venir". Practíquelo cinco veces al día y aumente gradualmente la distancia a que se encuentra su hijo cuando usted le diga "Ven acá, por favor", hasta que pueda ir a donde usted está desde el otro lado del cuarto o desde el otro extremo del centro comercial.

Elogie a su hijo por permanecer cerca. Haga que desde el punto de vista de su hijo valga la pena permanecer a su lado, elogiándolo cada vez que lo haga. Dígale, por ejemplo: "Qué bien que te quedes a mi lado", o "Qué bueno es salir de compras contigo cuando te quedas a mi lado".

Deje que su hijo participe en la rutina de permanecer al lado de usted. Si él puede, hágalo cargar un paquete o empujar el carro, por ejemplo. Esto le hace dar la sensación de que él es una parte importante del procedimiento de compras y le da menos la tentación de independizarse.

Cambie sus reglas a medida que su hijo cambie. A medida que su hijo vaya madurando y pueda alejarse brevemente y regresar directamente a su lado en un centro comercial, por ejemplo, usted podría modificar su regla. Explíquele por qué le está dando más libertad, para que tenga la sensación de haberse ganado esa independencia por buena conducta en público. Esto le ayudará a actualizar las recompensas que trae seguir las reglas.

Sea firme y consecuente. No modifique sus reglas en cuanto al comportamiento en público sin antes decírselo a su hijo. Siendo firme y consecuente, su hijo tendrá la sensación de seguridad. Al fijar límites quizá haya algo de gritos y alaridos, pero el freno de seguridad que usted le pone le ayudará a sentirse protegido en territorio extraño.

Cómo resolver el problema

Lo que se debe hacer

Emplee reprimendas y Tiempo Fuera de Acción. Reprendiendo a su hijo por no permanecer a su lado en público le enseñará a observar el comportamiento que usted desea y le hará ver lo que le sucederá si no sigue su regla. Cuando usted se dé cuenta de que se está alejando, dígale: "No, no te alejes. Tienes que estar junto a mí. Si permaneces a mi lado, estarás seguro". Si el niño rompe la regla reiteradamente, repita la reprimenda y póngalo de inmediato en Tiempo Fuera de Acción (en un rincón del almacén o en una silla cercana), tiempo durante el cual usted debe quedarse con él.

Lo que no se debe hacer

No deje que su hijo determine lo que usted haga. No amenace con irse a la casa si su hijo no se queda a su lado. Regresar a casa puede ser justamente lo que él prefiere, de modo que podría alejarse con el propósito de que se le cumpla su deseo.

No le pegue a su hijo en público. Esto sólo lo anima a alejarse de usted porque no está seguro de cuándo lo va a castigar y cuándo no.

No lleve a su hijo de compras por más tiempo del que él pueda tolerar. Algunos preescolares pueden seguir reglas por más tiempo que otros. Conozca a su hijo. Una hora puede ser el tiempo máximo, de modo que tome eso en cuenta antes de salir de la casa.

"No te muevas de aquí"

El señor y la señora Brody ya no podían llevar a su hijo Matthew, de cuatro años, a un centro comercial o a una tienda de víveres sin tener problemas — siempre se perdía de vista apenas sus padres le volvían las espaldas.

"¡Quédate aquí! ¡No te pierdas cuando estemos haciendo compras!" le gritó la señora Brody a su hijo la última vez que desapareció bajo el estante de ropa interior que había en el almacén.

Su orden no surtió efecto; cuando salieron del almacén e iban por la alameda, Matthew corrió unos cuatro metros hacia el escaparate de un almacén, señaló con el dedo y gritó: "¡Miren ese tren! ¡Miren ese tren!"

El escaparate estaba casi fuera del alcance del oído, cosa que le produjo pavor a la señora Brody; fue entonces cuando comprendió que era necesario establecer unas reglas para evitar que su hijo desapareciera mientras ella hacía sus compras de Navidad ese año. A la mañana siguiente, antes de ir a la tienda de víveres, le explicó a Matthew la nueva regla porque sabía que ése era su lugar favorito para correr como loco de un pasillo a otro.

"Matthew, debes quedarte al alcance de mi brazo en todo momento", le dijo. "Mientras estés así de cerca, puedes mirar las cosas con los ojos, ¡no con las manos!"

Durante su recorrido de ensayo, Matthew se perdió de vista en minutos. "No te alejes de mí", le dijo la señora Brody cuando, finalmente, lo alcanzó en el pasillo 3 y lo abrazó aliviada. "Debes quedarte al alcance de mi brazo. Permaneciendo a mi lado estás fuera de peligro".

Era la primera vez que Matthew oía ese sermón y no sabía cuánta importancia tenía. De modo que actuó como si no oyera y echó a correr en dirección a la sección de chocolates, que tanto le gustaban.

La señora Brody, a pesar de que estaba muerta de furia, permaneció calmada y dijo para sí que las reglas eran nuevas, y que, como todas las reglas, había que practicarlas antes de seguirlas a la perfección.

"Debes quedarte a mi lado, porque así estás fuera de peligro", le dijo a Matthew, repitiendo la reprimenda. Luego lo llevó a un rincón tranquilo junto al puesto de verduras y frutas, y le volvió la espalda, aunque no se alejó de él.

Matthew miró a su madre con furia y gritó: "¡No! Yo quiero jugar. ¡No te quiero!" Su madre, avergonzada pero resuelta, no hizo caso de su rabieta, pues había decidido que si una reprimenda no resolvía ese problema, no tenía más remedio que poner a su hijo en Tiempo Fuera de Acción para ayudarle a aprender la regla.

Al cabo de tres minutos (que a la señora Brody le parecieron tres horas) saludó a Matthew con una sonrisa y repasó la regla cuando terminaron de hacer las compras juntos. Cada vez que Matthew permanecía a su alcance, la señora Brody lo elogiaba. "Gracias por quedarte cerca, cariño. Realmente me alegro de que estemos haciendo las compras juntos", agregó cuando empezaron a hablar de cereales para ver cuál compraban para el desayuno del día siguiente.

Reprendiéndolo constantemente, la señora Brody rara vez tuvo que usar Tiempo Fuera de Acción en las siguientes tres semanas, porque ella y Matthew lo pasaban muy bien disfrutando la nueva intimidad que había entre ellos.

Cuando exigen hacer cosas ellos mismos

"Déjame hacerlo a mí", es la frase que los padres de preescolares muy posiblemente escucharán cuando se aproxime la fecha del segundo cumpleaños de sus hijos. Esta declaración de independencia marca el comienzo de la excelente oportunidad que tienen los padres de dejar que la práctica se encargue de perfeccionar a los pequeños ensayalotodo, siempre y cuando que no infrinjan las reglas de la casa durante el período de aprendizaje mediante ensayos y errores. Como el objetivo final de la crianza es que los hijos tengan confianza en sí mismos y puedan valerse por sí solos, ármese de inagotable paciencia cuando tenga que aguantarse los errores y establecer un equilibrio entre la necesidad de realizar sus labores diarias y la importancia de enseñarles a sus preescolares el arte de vivir.

Cómo evitar el problema

No dé por sentado que su hija es incapaz de hacer nada. Manténgase al tanto de los niveles cambiantes de habilidad de su hija. Asegúrese de haberle dado la oportunidad de ensayar algo antes de encargarse usted de hacerlo, de modo que no subestime la habilidad actual de la niña.

Compre ropa que su hija pueda manejar. Compre ropa que su hija pueda quitarse con facilidad mientras aprende a controlar los esfínteres; por ejemplo, compre camisas por las que pueda meter la cabeza y que no se le queden atascadas en los hombros cuando ella misma se vista.

Disponga la ropa en unidades coordinadas. Ayúdele a su hija a desarrollar sentido de coordinación disponiendo su ropa de tal modo que sea más fácil alcanzarla, tanto para ella como para usted.

Prevea la frustración. Procure que su hija pueda realizar sus tareas con la mayor facilidad posible. Por ejemplo, desabroche los cierres de sus pantalones o empiece a cerrar la cremallera de una chaqueta antes de dejar que su hija termine la tarea.

Cómo resolver el problema

Lo que se debe hacer

Jueguen a Ganarle al Reloj. Dígale a su hija cuánto tiempo tiene para determinada actividad, de modo que ella no piense que por falta de aptitud de ella para hacer algo usted se encarga de hacerlo. Ponga el reloj por el número de minutos que usted le asigne a la tarea y diga, por ejemplo: "Veamos si podemos vestirnos antes de que suene el reloj". Esto también les ayuda a los niños a adquirir sentido de la puntualidad y reduce la lucha por el poder entre usted y su hija, porque no es usted quien le dice que haga algo, es el reloj. Si usted tiene mucha prisa y debe terminar una tarea que su hija acaba de comenzar, explíquele por qué tiene prisa, para que ella no crea que fue por su lentitud por lo que usted resolvió hacer la tarea.

Sugiérale a su hija que coopere y comparta. Como su hija no sabe por qué no es capaz de hacer algo o no sabe que pronto será capaz de hacerlo, sugiérale que compartan la tarea de vestirse o de comer, por ejemplo, en cuyo caso usted se encarga de la parte que es muy difícil para ella a su edad (por ejemplo, atar los cordones de los zapatos a la edad de un año). Dígale: "Sostén el calcetín, y yo te pongo el zapato", para permitirle hacer algo, no sólo mirarla a usted y sentirse inútil.

Haga que el esfuerzo cuente. Como profesora favorita de su hija que es, usted puede animarla a intentar hacer cosas. Usted sabe que la práctica lleva a la perfección, de modo que enséñele este axioma a su hija, diciéndole, por ejemplo: "Me gusta la forma en que trataste de hacerte las trenzas. Fue un magnífico intento. Más tarde lo haremos de nuevo". Encuéntrele algo bueno a un mal desempeño. Elogie el intento de su hija de ponerse los zapatos, aun cuando lo haga incorrectamente.

Permanezca tan serena como pueda. Si su hija quiere que usted no haga nada y ella quiere hacerlo todo ("Yo me pongo mis shorts", "Yo abro la puerta", "Yo cierro el cajón"), recuerde que ella está comenzando a afirmar su lado independiente, no su lado terco. Como usted quiere que a la larga ella haga las cosas por sí sola, déjela hacer el intento. Aunque posiblemente usted no quiera esperar o aguantarse su forma incorrecta de cerrar el cajón o de colocar las servilletas, por ejemplo, no se altere cuando las cosas no las haga tan rápida o precisamente como usted quisiera. Trate de estar encantada de que su hija esté dando el primer paso hacia la independencia, y siéntase orgullosa de ella por tomar la iniciativa.

Permítale toda la independencia que pueda. Procure permitirle a su hija hacer todo lo que pueda por sí sola, para que la frustración no ocupe el lugar de su sentido innato de la curiosidad. Deje que tome el otro zapato y se lo dé a usted, por ejemplo, en lugar de insistir en que no lo toque con sus inquietos dedos mientras usted ata el cordón del otro zapato.

Pídale con amabilidad a su hija que haga cosas, no se lo exija. Para que haya una mayor probabilidad de que su preescolar pida las cosas con amabilidad, enséñele a pedir favores en forma cortés. Dígale: "Cuando me lo pidas amablemente, te dejaré hacer X". Luego explíquele lo que quiere decir con "amablemente". Pídale a su hija que diga: "Por favor, ¿me puedes dar un tenedor?", cuando quiera un tenedor, por ejemplo.

Lo que no se debe hacer

No castigue a su hija por los errores que cometa. Si ella misma quiere servirse la leche y se le derrama, por ejemplo, acuérdese de ayudarle a servirla la próxima vez. Recuerde: la práctica lleva a la perfección; no espere un éxito inmediato.

No critique el esfuerzo de su hija. Si no tiene importancia para usted, no señale el error que su hija cometió. Aun cuando se haya puesto la media al revés, por ejemplo, simplemente dígale: "Volteemos la media para que el lado suave quede tocándote el pie, ¿te parece?", y olvide el asunto.

No se sienta rechazada. Si su hija dice: "Déjame abrir la puerta", y usted sabe muy bien que usted puede hacerlo más rápido y con menos trabajo, no se lo haga saber a su hija. Deje que trate de ser independiente y que tenga la sensación de que usted aprecia la forma en que ella hace las cosas. No se ofenda porque su hija no aprecia su ayuda — no se le olvide que su hija está en pleno desarrollo, y así es como debe ser.

Judy la independiente

Durante los primeros tres años de vida de Judy Manning, su madre hacía todo por ella. Ahora la "Señorita Independencia" (como su madre la llamaba) quería que su madre no le hiciera nada, un cambio de personalidad que era desconcertante y frustrante para la señora Manning.

"¡Me exaspera tener que esperarte, Judy!", le dijo cuando iban retrasadas para el jardín infantil, y Judy se negaba a dejar que su madre le ayudara a ponerse el abrigo. "Tú no puedes hacerlo", continuó explicándole su madre para convencerla de que no hiciera cosas imposibles para su edad.

Las corrientes de exigir y de negarse a obedecer cambiaban justamente cuando la señora Manning creía que el problema la estaba llevando a tenerle antipatía a Judy y odio a su deseo de hacer las cosas por sí misma. Cuando Judy se estaba vistiendo una mañana para salir, la señora Manning vio a su hija ponerse el abrigo, y notó que por primera vez lo hacía perfectamente ella sola. "Estupendo como te pusiste el abrigo", la felicitó la señora Manning, y le subió la cremallera. "¡Realmente tienes prisa por prepararte para el colegio! Me siento tan orgullosa de ti", agregó al salir de la casa, después de que Judy dejó que su madre terminara de subirle la cremallera sin oponer resistencia por primera vez en varias semanas.

En el camino de la casa al colegio, la señora Manning reflexionaba acerca de cuán independiente se estaba volviendo su hija en el jardín infantil, de acuerdo con lo que le había contado su profesora, pues quería contestar preguntas y ser "la ayudante" sin que se lo pidieran.

La señora Manning decidió que trataría de tolerar el afán de Judy de valerse por sí misma, cosa que tanto había anhelado que Judy hiciera un año antes, moderando su independencia con ayuda del reloj, un mecanismo que le ayudaba a Judy a prepararse para la cama y a compartir sus juguetes.

Al día siguiente, Judy quería poner la mesa ella sola, como de costumbre. En vez de ayudarle, la señora Manning anunció el nuevo plan del reloj: "Judy, tú puedes tratar de poner la mesa tú sola hasta que suene el reloj. Cuando suene, es hora de que yo te ayude. Veamos si puedes terminar de poner la mesa antes de que suene el reloj".

Judy no tenía ansiedad de que su madre le ayudara, pero le encantaba la idea de ganarle al reloj y se sentía especialmente orgullosa de sí misma por terminar la tarea antes de que sonara el reloj.

La madre de Judy también se sentía orgullosa. "Estupendo como pusiste la mesa tú solita", comentó mientras en silencio colocaba las cucharas en su lugar, junto a los tazones y no dentro de ellos (pero sin mencionárselo a su hija).

La señora Manning continuó elogiando los esfuerzos de su hija por hacer las cosas por sí misma cuando era oportuno, haciendo todo lo posible por facilitarle la ejecución de las tareas, y ambas empezaron a concluir las tareas juntas, cuando era necesario.

Cuando exigen libertad

Como los preescolares están tan empeñados en salir al mundo, a veces habrá necesidad de rescatarlos de algún apuro, puesto que no son tan autosuficientes, independientes y ecuánimes como ellos se creen. A medida que su hijo de un año crece, va soltándose gradualmente de las faldas de su mamá para explorar su alrededor. Déjelo ir solamente hasta donde usted cree que sea seguro. Conozca los límites de su hijo, poniendo a prueba su madurez y su responsabilidad antes de cometer el error de permitirle más libertad de la que puede manejar.

Observación: Recuerde darle a su hijo las libertades que correspondan a sus habilidades, brindándole constantemente oportunidades de reforzar su convencimiento de que él es lo suficientemente maduro como para manejar la libertad que usted le está permitiendo.

Cómo evitar el problema

Determine los límites de libertad de la familia. Su hijo necesita saber sus límites — lo que puede y no puede hacer, cuándo tiene permiso de irse, etc. — antes de pretender usted que haga lo que usted quiere que él haga. Explíquele — inclusive a un niño de un año — lo que es territorio "legal" para evitar el mayor número posible de acciones "ilegales".

Hágale saber a su hijo cuándo puede traspasar los límites. Disminuya el atractivo que algunos no-noes tienen justamente porque son prohibidos, mostrándole y explicándole a su joven aventurero la forma en que puede hacer lo que quiere sin meterse en dificultades. Dígale, por ejemplo: "Puedes cruzar la calle sólo cuando yo te lleve de la mano".

Déle a su hijo tanta libertad como él muestre que es capaz de administrar sin peligro. Si su hijo muestra que es responsable dentro de los límites fijados, extienda los límites un poco. Hágale saber por qué han cambiado, para ayudarle a sentirse satisfecho con su habilidad de seguir instrucciones y a ser lo suficientemente responsable para merecer la libertad. Dígale: "Como siempre me avisas antes de ir a la casa de al lado a visitar a tu amigo, ahora también puedes ir hasta la esquina; pero siempre me debes pedir permiso antes de ir".

Cómo resolver el problema

Lo que se debe hacer

Ofrézcale recompensas por mantenerse dentro de los límites. Procure que sea más agradable para su hijo mantenerse dentro de los límites colmándolo de atenciones cuando se porte bien. Dígale: "Me alegro mucho de que te hayas quedado en los columpios y no te hayas metido en el jardín de los vecinos. ¡Ahora puedes columpiarte tres minutos más!"

Restrinja las libertades. Enséñele a su hijo que si no hace caso de los límites se le acaba la diversión. Dígale: "Siento que te hayas salido del jardín; ahora tienes que quedarte en la casa". O: "Siento que hayas cruzado la calle; ahora sólo puedes jugar en el jardín".

Sea tan consecuente como pueda. No deje que su hijo quebrante una norma sin obligarlo a sufrir las consecuencias, para enseñarle que lo que usted dice es en serio siempre que lo dice. Esto también le ayudará a sentirse más seguro de sus acciones una vez que esté solo, porque ya habrá aprendido lo que usted espera que haga.

Lo que no se debe hacer

No le pegue a su hijo por irse para la calle. Si le pega a su hijo, lo anima a seguir haciendo a escondidas las cosas por las cuales usted lo castigó. Los niños que salen a escondidas a la calle están, desde luego, expuestos a un gran peligro, de modo que no aumente el problema haciendo que su preescolar quiera hacerlo a hurtadillas.

Sally por su propia cuenta

Sally Hamilton, una pequeña de cinco años, era la niña más popular de la Calle Doce, un hecho que también la convertía en el mayor problema de los Hamiltons, una familia de siete hijos.

"Hoy tengo que ir al colegio con Susie, ir a la casa de Donna después del almuerzo y jugar a las muñecas con Maria", le informó Sally a su madre una mañana durante el desayuno.

Cuando su madre le dijo que no podía ir a donde quisiera a la hora que quisiera, ni ese día ni ningún otro, Sally le replicó: "¿Por qué? ¿Por qué no? ¡Voy a ir de todos modos, no me lo puedes prohibir!"

Esta clase de afirmaciones rebeldes promovían airados episodios entre Sally y sus padres en que ambas partes se decían palabras ofensivas, particularmente después de un día en que Sally cruzó la calle sola para ir a casa de su mejor amiga, a pesar de que le habían prohibido cruzar la calle sola.

Vociferando que no era justo, ese día Sally fue enviada a su alcoba por sus padres, quienes se sentían frustrados porque no podían decidir cuándo darle libertad a su "bebé" y cuándo fijarle límites para protegerla de los peligros que no estaba en edad de manejar. Como Sally recibía constantemente invitaciones, ellos no podían hacer caso omiso del problema de decidir cuándo y a dónde podía ir Sally.

Para solucionar el problema, los Hamiltons finalmente decidieron llegar a un arreglo con su hija y establecer reglas en cuanto a la libertad que estaban dispuestos a darle, reglas que ellos podían ir modificando a medida que su hija demostrara que era lo suficientemente responsable para justificarlo. Empezaron por explicar estas nuevas reglas a su hija, que se puso feliz por el hecho de aprender a lograr más libertad.

"Quiero que aprendas a cruzar la calle, Sally", le dijo su madre cuando la niña le preguntó si podía visitar a su amiga en la casa de oro.

Sally y su madre se hicieron junto al encintado de la acera, donde la señora Hamilton se puso a enseñarle la forma correcta de cruzar una calle: cómo detenerse junto al encintado de la acera, mirar a la izquierda, a la derecha, y no sólo *mirar*, sino también *ver*. La señora Hamilton le pidió a su hija que describiera lo que veía a la izquierda y a la derecha. Una vez que se cercioró de que la calle estaba despejada, le ordenó a su hija que cruzara la calle solamente mientras iba asida de la mano de ella. Cruzaron juntas la calle, mirando a la derecha y a la izquierda, describiendo lo que veían. Después de practicarlo diez veces, la señora Hamilton, quien elogiaba a su hija cada vez que seguía las instrucciones a la perfección, le dijo: "Sally, déjame observarte cruzar la calle tú sola".

Cuando Sally demostró que podía seguir las reglas, la señora Hamilton anunció la nueva regla: "Puedes cruzar la calle para ir a casa de tu amiga, pero primero debes venir y avisarme, y yo iré contigo para mirarte".

Aunque la señora Hamilton consideraba que este arreglo representaba mucho trabajo para ella, sabía que la única forma de estar tranquila cuando aflojaba las riendas era sabiendo que su hija podía manejar las responsabilidades que la libertad implicaba. Estableciendo y practicando luego las condiciones de libertad, todos quedaron satisfechos y se sintieron seguros con los límites y las obligaciones.

Cuando quieren salirse con la suya

Como la paciencia no es una virtud innata de los seres humanos, hay que enseñarles a los niños pequeños el arte de esperar cuando quieran hacer, ver, comer, tocar u oír algo. Como usted tiene más experiencia y, por tanto, sabe lo que más le conviene a su preescolar, está más calificado para controlar y decidir cuándo puede su hija hacer lo que quiere y lo que tiene que hacer, antes de hacerlo. Mientras usted esté ejerciendo ese control, explíquele a su hija de uno a cinco años cuándo y cómo puede obtener lo que quiere. Asimismo, enséñele que tener paciencia también tiene sus recompensas en la vida. Dígale, por ejemplo: "Es desagradable para mí tener que esperar un tiempo para poder comprar los muebles de sala que quiero, pero sé que si hago un esfuerzo por ahorrar dinero, podré comprarlos pronto". O dígale: "Yo sé que quieres comerte el batido de ponqué, pero ahora no lo necesitas, y si esperas hasta que esté horneado, tendrás más ponqué para comer". La niña apenas está descubriendo que el mundo no siempre girará alrededor de sus necesidades y sus caprichos. No es prematuro que empiece a aprender el arte de enfrentar esa realidad — a menudo decepcionante — de la vida.

Cómo evitar el problema

Proporciónele una variedad de actividades entre las cuales su hija pueda elegir. Imponga condiciones en las que su hija pueda salirse con la suya, y hágale sugerencias sobre lo que puede hacer mientras está esperando para poder hacer lo que quiere hacer. Dígale, por ejemplo: "Cuando hayas jugado con los cubos durante cinco minutos, vamos a visitar a la abuelita".

Cómo resolver el problema

Lo que se debe hacer

Fomente la paciencia. Recompense la más mínima muestra de paciencia, comunicándole a su hijo lo feliz que se siente de que él haya esperado o realizado alguna tarea, por ejemplo. Defínale lo que es paciencia si considera que ésa es una palabra que le es desconocida. Dígale, por ejemplo: "Qué paciente eres por esperar tranquilo que yo te sirva el jugo mientras acabo de limpiar el lavaplatos. Eso me hace ver que ya eres grande". Esto le enseña a su hijo que *sí* es capaz de posponer sus deseos, aunque no lo sepa todavía; también hace que esté satisfecho de sí mismo, porque usted está satisfecha de su conducta.

Permanezca tan serena como pueda. Si su hijo protesta porque tiene que esperar o porque no puede hacer lo que quiere, recuerde que está aprendiendo una valiosa lección para la vida — el arte de ser paciente. Al ver que usted sabe ser paciente, él pronto aprenderá que con exigir no logra satisfacer sus deseos en forma tan rápida como cuando se hace todo lo posible por que el trabajo quede hecho.

Deje que su hijo participe en el proceso de ponerse a hacer cosas: emplee la Regla de la Abuelita. Si su hijo está pidiéndole a gritos que vayan a casa de la abuelita, por ejemplo, haga cumplir las condiciones que usted estableció con anticipación sobre lo que su hijo debe hacer antes de que pueda hacer lo que quiere. Esto aumenta la posibilidad de que cumpla la tarea que le asignaron. Exponga las condiciones en forma positiva. Dígale, por ejemplo: "Cuando hayas guardado los libros en el estante, iremos a casa de la abuelita".

Evite decir un categórico no para lo que su hija quiere. Explíquele a su hija cómo puede lograr hacer lo que quiere (cuando esto sea posible y no encierre peligro), en lugar de hacerle dar la sensación de que sus deseos nunca serán satisfechos. Dígale, por ejemplo: "Cuando te hayas lavado las manos, puedes comerte una manzana". Algunas veces, desde luego, usted necesita decirle no a su hija (cuando quiere jugar con su cortacésped, por ejemplo). En estas ocasiones, trate de ofrecerle alternativas para jugar, con el propósito de cumplir sus deseos y de fomentar en ella un sentido de transigencia y flexibilidad.

Lo que no se debe hacer

No le exija a su hija que haga algo "ahora mismo". Si le exige a su hija que haga al instante lo que usted le pide, sólo le hará formar la idea de que siempre debe hacerse de inmediato lo que ella quiere, así como usted insiste en que se haga de inmediato lo que usted quiere.

No premie la impaciencia. No siempre haga lo que su hija desee cada vez que quiera salirse con la suya. Aunque resulta tentador posponer lo que está haciendo para satisfacer a su hija y así evitar una lucha o una pataleta, hacer lo que ella quiera en el momento en que lo exija, sólo le enseña a no aprender a ser paciente y aumenta la posibilidad de que continúe queriendo salirse con la suya inmediatamente y siempre.

Asegúrese de que su hija sepa que no fue la actitud exigente de ella lo que hizo que se cumplieran sus deseos. Aunque es posible que su hija refunfuñe durante todo el tiempo de espera, asegúrese de que sepa que usted se está subiendo al automóvil porque está lista y su trabajo está hecho, no porque ella la obligó a hacerlo con sus alaridos. Dígale: "Ya terminé de lavar los platos. Ahora podemos irnos".

"¡Lo quiero ya!"

"Beber ya", decía gimiendo Emily Randolph de dos años de edad cada vez que tenía sed. Cuando veía a su madre darle el biberón a su nuevo hermanito, Justin, ella también quería uno e inmediatamente.

"No, estoy ocupada. ¡Tendrás que esperar!", le contestó su madre, empezando a impacientarse con su hija porque no comprendía que los bebés no saben esperar cuando quieren algo, como sí saben las niñas grandes.

Emily pedía tantas veces que la alzaran o que le dieran juguetes o algo de beber que la señora Randolph veía con horror el momento en que Emily entrara en el cuarto al mismo tiempo en que ella estuviera ocupada con alguna cosa, y especialmente cuando estuviera satisfaciendo una de las necesidades de Justin.

Cuando Emily comenzó a quitarle a Justin alimentos, bebidas, juguetes y cobijas, diciendo que eran "míos", la señora Randolph se dio cuenta de que tenían que empezar a controlar este problema; así que anunció una nueva regla que ella llamó la Regla de la Abuelita, y se la explicó a Emily: "Cuando tú hagas lo que te pido, puedes hacer lo que tú quieras", le dijo. "Esa es la nueva regla en esta casa".

Esa misma tarde, cuando Emily estaba insistiendo en que le sirvieran otro jugo sólo diez minutos después de haberse tomado el último, la señora Randolph le dijo con firmeza: "Cuando te hayas puesto los zapatos, puedes tomar un poco de jugo de manzana".

Emily estaba acostumbrada a oír un "no", y luego montar en cólera hasta que su madre gritara "Está bien, está bien" y dejara que Emily se saliera con la suya. Hizo caso omiso de la nueva regla de su madre y empezó a suplicar, "¡Tengo sed! ¡Tengo sed!", como de costumbre.

Su rabieta no sólo no produjo algo de tomar, sino que hizo que la señora Randolph no le hiciera caso en absoluto. Sintiéndose muy frustrada, la pequeña se puso los zapatos para ver si *eso* haría que le prestaran atención (y le dieran algo de beber), pues sus gritos no lo habían logrado, y se mostró sorprendida y encantada cuando así fue.

Muy pronto aprendió que su madre lo había dicho en serio, porque la señora Randolph nunca dejó de hacer cumplir la Regla de la Abuelita. Cuando su hija cumplía su parte del pacto, la señora Randolph la elogiaba con comentarios como: "Me alegro de que hayas levantado los platos de la mesa. Ahora puedes salir".

La señora Randolph era sincera en su admiración por las acciones de Emily, y ésta parecía agradecérselo, pues respondía en la forma más positiva a las exigencias de su madre, exigencias que la señora Randolph procuraba limitar. A medida que la familia aprendía a trabajar unida para salirse con la suya, cada uno de sus miembros volvió a disfrutar la vida en compañía de los demás, no a pesar de los demás.

Morosidad

Como el tiempo no significa nada para los niños menores de seis años, apremiarlos no proporciona mayores ventajas. En vez de apremiar a su hijo con "¡Vamos!" o "¡Date prisa, por favor!", hágalo con disimulo apostando carreras con él o dándole la oportunidad de correr a sus brazos, por ejemplo, para que las instrucciones se conviertan en un juego divertido y no sean órdenes frustrantes. Hágale dar a su hijo la sensación de que sigue ejerciendo algún control sobre cuán lento o cuán rápido hace las cosas. Así no tendrá él que usar la morosidad para ejercer su influencia en el ritmo de las cosas.

Cómo evitar el problema

Procure dar tiempo de ventaja. Si usted tiene prisa, el hecho de tener que esperar a su tortuga preescolar lo llevará con frecuencia a perder la paciencia y, por tanto, a retrasarse todavía más. Procure calcular el tiempo suficiente para prepararse para las salidas, bien entendido que la morosidad es una reacción típica al movimiento, de alguien que no sabe qué significa apresurarse y que está dedicado de tiempo completo a explorar el mundo.

Mantenga un horario de rutina. Como un niño necesita que su día tenga rutina y coherencia y tiende a ser más moroso cuando se interrumpe su rutina, establezca límites de tiempo y un patrón regular para las comidas, para bajarse del automóvil, etc., a fin de que su hijo se familiarice con el horario que usted quiere que cumpla.

Usted tampoco sea moroso. Preparar a un niño para ir a alguna parte y luego hacerlo esperar, le indica que el tiempo no es importante. No anuncie que usted está listo para ir a la casa de la abuelita, por ejemplo, cuando no esté listo.

Cómo resolver el problema

Lo que se debe hacer

Facilítele a su hijo ir al mismo paso que usted. Invente juegos sencillos para disimular el hecho de que hay que apresurarse, como el de pedirle a su hijo que adivine lo que la abuelita tiene en su casa, para estimular su interés en ponerse en marcha más pronto. Ensaye pedirle a su hijo que "corra a sus brazos" si usted quiere que se dé prisa para llegar al automóvil, por ejemplo.

Juegue a Ganarle al Reloj. Los niños siempre se mueven con más rapidez cuando tratan de ganarle al reloj (una autoridad neutral) en vez de tratar de hacer lo que usted pida. Dígale, por ejemplo: "Veamos si puedes estar vestido antes de que suene el reloj".

Ofrezca incentivos para rapidez. Haga que estos ruegos disimulados para que se apresure tengan un beneficio adicional para su hijo. Dígale: "Cuando le ganes al reloj, puedes jugar durante diez minutos, antes de que salgamos para el colegio". Esto le permite a su hijo ver por sí mismo las cosas tan gratas que les ocurren a los que se ajustan a un horario.

Recompense tanto la actividad como el resultado. Para animar a su hijo a hacer una tarea, estimúlelo sobre la marcha. Dígale, por ejemplo: "¡Cómo te estás vistiendo de rápido!" en vez de decir apenas: "Gracias por vestirte", después de cumplida la tarea.

Emplee orientación manual. Es posible que tenga que orientar a su hijo físicamente en el momento de realizar la tarea (como subirse al automóvil o vestirse), para enseñarle que el mundo sigue girando, no importa cuál sea su orden del día en ese momento.

Emplee la Regla de la Abuelita. Si su hijo se mueve con lentitud cuando usted tiene que apresurarse para ir a alguna parte o para realizar un trabajo, por ejemplo, haga cumplir la Regla de la Abuelita. Eso hará que se apresure con la seguridad de que después podrá hacer lo que quiera. Dígale, por ejemplo: "Cuando hayas terminado de vestirte, puedes jugar con tu tren".

Lo que no se debe hacer

No pierda los estribos. Si usted tiene prisa y su hijo no, no haga que el ritmo de los dos disminuya más aún prestándole atención por ser despacioso (regañándolo o gritándole que se mueva, por ejemplo). Enojándose sólo fomentará la morosidad de su hijo.

No regañe. Regañar al niño para que se apresure cuando haraganea equivale más bien a prestarle atención por no moverse que prestársela cuando se da prisa. Disfrace una técnica de apresuramiento convirtiéndola en un juego.

Allison la morosa

Allison, una niñita de tres años de edad, se lo pasaba contemplando pajitas en la hierba o jugando con el cordón de su zapato en lugar de hacer lo que era necesario en ese momento. A su abuelita Harris, encargada de cuidar a la niña durante el día, la mortificaba tener que sulfurarse y llevar a su nieta prácticamente arrastrada hasta la puerta del jardín infantil. "¡Date prisa! ¡Deja de haraganear!" le decía a la pequeña, pero ésta parecía que se tapara los oídos cuando la animaban a hacer las cosas más rápidamente de lo que ella quería.

Finalmente, la abuelita Harris le dijo a su hija que ya no podía cuidar a Allison porque se sentía totalmente impotente, le daba mucha ira y quedaba resentida con su nieta favorita. La señora Smith le aconsejó a su madre que elogiara cualquier intento de Allison por moverse con rapidez — prestándole atención cuando no fuera despaciosa y no haciéndole caso cuando perdiera el tiempo — una técnica que ella también tenía que emplear con su hija.

La abuelita Harris puso en práctica la sugerencia de su hija en el sentido de ofrecerle a Allison recompensas por darse prisa, cosa que era corriente, pues la abuelita Harris siempre le llevaba regalos a su nieta.

"Me alegro de que hoy te hayas apresurado y hayas llegado a la puerta antes que yo", le dijo a Allison la abuelita Harris cuando un buen día la niña recorrió la cuadra hacia la escuela con más rapidez que de costumbre.

Cuando Allison disminuyó la velocidad y volvió a su paso normal al acercarse a la escuela, la abuelita Harris decidió fomentar su rapidez, y no quejarse de su lentitud. "Si corres por este caminito y llegas al jardín infantil antes de que yo cuente hasta cinco, te daré ese peine que viste en mi bolso", le dijo a su nieta viéndola moverse como si nunca en su vida hubiera malgastado el tiempo.

La abuelita Harris cumplió su promesa de regalarle el peine y vio por sí misma el efecto que le producían a su nieta las recompensas, pues así lograba que Allison hiciera lo que ella quería.

Todavía había que rogarle a Allison que se vistiera según el horario establecido por su abuela, no según el suyo propio; pero ahora la abuelita Harris estaba comenzando a disfrutar nuevamente de la compañía de su nieta, y sentía que llevaba la batuta durante las horas que pasaba con ella.

No seguir las instrucciones

En las diversiones y en los juegos diarios, los preescolares son los máximos expertos del mundo en ensayar hasta qué punto pueden soslayar las reglas de los padres, si las advertencias habrán de cumplirse, y cuán rigurosamente deben seguirse las instrucciones. Sistemáticamente, haga que su hija obtenga los mismos resultados como producto de su investigación acerca de cómo opera el mundo de los adultos. Demuéstrele que lo que usted dice es en serio, para que se sienta más segura con respecto a lo que puede esperar de otros adultos. El hecho de que en el fondo usted ejerza el control puede parecerle a su hija que es una dictadura injusta; pero no obstante sus protestas, la tranquilizará el hecho de que se establezcan límites y se definan reglas en su tránsito del mundo de los pequeños al mundo de los adultos.

Cómo evitar el problema

Averigüe cuántas instrucciones puede su hijo seguir de una vez. Su preescolar sólo podrá recordar y luego seguir determinado número de instrucciones a la vez. Para averiguar el límite de su hija, déle una instrucción sencilla, luego dos, luego tres. En el caso de tres instrucciones, dígale, por ejemplo: "Por favor, recoge el libro, ponlo en la mesa y siéntate a mi lado". Si su hija sigue las tres instrucciones en el orden indicado, usted sabrá que puede recordar tres instrucciones. Si no, determine cuál es su límite y espere hasta que tenga más edad antes de darle un mayor número de instrucciones. Recuerde: Sólo espere que su hija siga el número de instrucciones que sea capaz de seguir en una etapa evolutiva particular.

Deje que su hija haga por sí misma tantas cosas como pueda sin decirle que se detenga. Como su hija de dos, tres, cuatro o cinco años sólo quiere seguir sus propias instrucciones y ejercer un dominio total sobre su vida, luchará por la oportunidad de elegir. Bríndele la oportunidad de desarrollar su capacidad de tomar decisiones y de incrementar su confianza en sí misma. Cuanto mayor sea el control que ella crea tener, tanto menor será la posibilidad de que se niegue a aceptar instrucciones de otra persona.

Evite las reglas innecesarias. Analice la importancia de una regla antes de grabarla en piedra. Su preescolar necesita toda la libertad posible para desarrollar su independencia, así que concédasela.

Cómo resolver el problema
Lo que se debe hacer

Déle instrucciones sencillas y claras. Siendo lo más específico posible con respecto a lo que usted quiere que haga su hija, hará que sea más fácil para ella seguir sus instrucciones. Déle indicaciones, y trate de no criticar lo que ella hace. Dígale, por ejemplo: "Recoge los juguetes ahora y ponlos en la caja, por favor", en vez de decirle: "¿Por qué demonios nunca te acuerdas de recoger tus juguetes y guardarlos sin que yo tenga que decírtelo?"

Elogie seguir las instrucciones. Recompense a su hija por seguir sus instrucciones, manifestándole su complacencia por un trabajo bien hecho. Asimismo, enséñele lo que debe decir cuando ella aprecia lo que otra persona hizo, diciéndole, cada vez que sea apropiado: "Gracias por hacer lo que te pedí que hicieras", tal como usted se lo diría a un amigo adulto.

Emplee la cuenta regresiva. Establezca la regla de que su hija debe empezar una tarea cuando usted haya contado hasta cinco, por ejemplo, para que su hija se haga a la idea de dejar lo que le gusta hacer por algo que usted quiere que haga. Dígale: "Recoge tus juguetes ahora, por favor. Cinco, cuatro, tres, dos, uno". Déle las gracias por empezar a arreglar el desorden con tanta rapidez, si es que lo hace.

Comente cualquier progreso sobre la marcha, no sólo cuando haya ejecutado sus instrucciones a cabalidad. Alabe a su hija cuando empiece a hacer las jugadas correctas en el juego que usted quiere que juegue. Dígale, por ejemplo: "Es estupendo que te hayas levantado y empieces a guardar esos juguetes".

Aplique la Regla de la Abuelita para lograr que siga sus instrucciones. Si su hija puede seguir instrucciones, ofrézcale una recompensa por realizar una tarea, diciéndole: "Cuando recojas los libros, puedes ver televisión", o "Cuando te laves las manos, vamos a almorzar".

Practique seguir las instrucciones. Si su hija no sigue las instrucciones, practique con ella mostrándole, paso a paso, lo que usted quiere que haga, llevándola de la mano, elogiándola y animándola. Dígale: "Siento que no hayas seguido mis instrucciones. Ahora tenemos que practicar". Practíquelo cinco veces, luego déle la oportunidad de seguir las instrucciones por sí misma. Si a pesar de todo se niega a hacerlo, dígale: "Tiempo fuera de acción" y aléjela de la situación.

Lo que no se debe hacer

No desista si su hija se opone. Dígase: "Yo sé que mi hija no quiere hacer lo que yo le digo, pero yo tengo más experiencia y sé lo que más le conviene hacer. Tengo que enseñarle, dándole instrucciones claras, de modo que con el tiempo pueda hacer cosas por sí sola".

No castigue a su hija por no seguir las instrucciones. Enseñarle a su hija a hacer algo, en vez de mostrarle lo furioso que usted se pone cuando no lo hace, evita que se perjudique la imagen que tiene de sí misma su hija, y le concede menos atención a la mala conducta que a la buena.

"¡Haz lo que te dicen!"

Eric Jackson, un muchachito de cuatro años y medio, se sabía el alfabeto y los números, e inclusive estaba comenzando a deletrear palabras en sus libros favoritos. Lo único que parecía no poder hacer era lo que sus padres más anhelaban que hiciera: seguir sus instrucciones.

Su madre le pedía a diario que hiciera cosas como ésta: "Eric, por favor, recoge tus juguetes y luego pon tu ropa sucia en el cesto". O: "Ven, siéntate aquí en el sofá y ponte las botas, Eric".

Eric solía dejar la primera tarea a medio terminar; luego, parecía perder el hilo de lo que debía estar haciendo, y se marchaba a investigar un camión de juguete o a ver lo que estaba haciendo su hermano.

"¿Cuántas veces tengo que decirte lo que debes hacer?", le gritó su desilusionada madre luego de una de esas sesiones en que se notaba su falta de interés. "¡Nunca me escuchas! ¡Nunca entiendes lo que te digo!" agregó, y le dio unas rápidas palmadas por no obedecerle.

Así siguieron las cosas hasta que un buen día Eric le contestó a gritos: "¡*No puedo* hacer lo que me pides!" Su madre prestó atención a sus palabras y las tomó en serio. Decidió ensayar una orden sencilla y ver si podía hacer lo que ella le pedía — cualquier acatamiento sería mejor que ninguno en absoluto, pensó ella.

"Eric, tráeme tus botas, por favor", le pidió sencillamente. Cuando Eric se encaminó directamente hacia donde estaban sus botas de colores azul y blanco, su madre aplaudió encantada. "Muchas gracias por hacer lo que te pedí, Eric", lo elogió. "¡Qué agradable es ver que sigues mis instrucciones!"

En seguida le dio la siguiente instrucción — ir a ponerse el abrigo, y nuevamente lo colmó de elogios y de afecto cuando cumplió su encargo.

La señora Jackson se puso feliz porque podía dejar de amenazar y gritar a su hijo y porque al prestar atención a los sentimientos de Eric, tomó conciencia de algo que era decisivo para que los dos se llevaran bien. Siguió aumentando lentamente el número de instrucciones que le daba a su hijo, esperando hasta que hubiera aprendido a seguir dos a la vez, por ejemplo, antes de darle tres a la vez. Su lenguaje claro y las recompensas que le ofrecía, tal como "Cuando te hayas puesto las botas, puedes ir a jugar un rato en la nieve antes de que vayamos donde la abuelita", le ayudaron a salir victoriosa en la lucha contra el incumplimiento de las instrucciones.

Problemas de viaje

Para la mayoría de los adultos, viajar es un cambio de ritmo, de escenario y de rutina; se cambian las preocupaciones y las fatigas de la casa por una vida más plácida. Sin embargo, para la mayoría de los preescolares, viajar puede ser todo lo contrario de una vacación, porque para sentirse bien, necesitan tener la sensación de seguridad que les porporcionan día a día sus juguetes, su cama, los alimentos y todas las demás cosas que les son familiares. Trate de evitar que usted necesite otro descanso al regresar a casa después de pasar unas vacaciones con su hijo, asegurándose de que su preescolar sepa que las cosas favoritas de él (juguetes, frazadas, ropa) estarán cerca y que él estará incluido en la diversión (haga juegos, llévelo a sitios que usted sabe le gustan). En los viajes, a menudo faltan las comodidades que uno tiene en la casa, así que trate de enseñarle a su hijo cómo enfrentar el cambio y cómo gozar de nuevas experiencias — dos tareas que se facilitan si usted cuenta con un alumno feliz e interesado que se siente seguro en su nuevo ambiente.

Observación: Recuerde que los niños que no llevan cinturón de seguridad serán lanzados hacia adelante si un automóvil se detiene bruscamente. Golpearán cualquier cosa que esté en su camino — el tablero de instrumentos, el parabrisas o el espaldar del asiento delantero — con un impacto equivalente a la caída de una altura de un piso por cada dieciséis kilómetros por hora en la velocidad del automóvil. Aunque el tablero de instrumentos y el espaldar del asiento delantero estén almohadillados, dar contra ellos desde una altura de cinco pisos y medio (el impacto que se produciría si usted fuera a una velocidad de ochenta y ocho kilómetros por hora) puede, a pesar de todo, causarles serias lesiones a los niños pequeños. (Véase la página 149 para más información sobre la seguridad de las sillas para automóvil.)

Cómo evitar el problema

Revise la silla de seguridad para automóvil o las sujeciones de la silla antes de viajar. Las medidas de seguridad que usted tome antes de partir determinarán cuán relajado estará con sus hijos cuando llegue el día de partir. No espere hasta el último momento para descubrir que tiene que posponer su viaje porque carece de una de las cosas más importantes que debe llevar: la silla de seguridad.

Practique la regla. Antes de que usted y su hijo realicen un largo viaje en automóvil, efectúen algunos recorridos de prueba, para que con este entrenamiento básico su hijo se vaya acostumbrando gradualmente al hecho de viajar. Elogie a su hijo cuando esté sentado correctamente en su silla o con los cinturones de seguridad abrochados durante los viajes de prueba, para mostrarle que quedarse sentado en la silla le produce recompensas.

Establezca reglas para el viaje en automóvil. Implante la regla de que el automóvil solamente se pondrá en marcha cuando todos sus ocupantes se hayan puesto el cinturón de seguridad. Diga: "Siento que tu cinturón no esté abrochado. El automóvil no puede ponerse en marcha hasta que te lo abroches". Dispóngase a esperar hasta que los pasajeros cumplan su regla antes de ponerse en marcha.

Provea material de juego apropiado. Asegúrese de empacar juguetes que sean inofensivos tanto para la ropa como para la tapicería. Las crayolas son apropiadas; no así las plumas estilográficas porque pueden manchar la tapicería si se dejan caer inadvertidamente. Si su medio de transporte es público, planee actividades que puedan realizarse en un espacio controlado, que produzcan el menor ruido posible y entretengan la atención durante largos períodos.

Familiarice a su hijo con los planes de viaje. Discuta sus planes de viaje con su hijo, para que sepa cuánto tiempo estarán fuera, qué pasará con su alcoba mientras están de viaje y cuándo regresarán. Muéstrele mapas y fotos del sitio a donde irán. Háblele de la gente, del paisaje, de las actividades programadas y de las cosas que harán. Hágalo partícipe de historias personales y de visitas pasadas a ese lugar. Compare el lugar a donde irán con uno que le sea familiar a su hijo, con el propósito de eliminar la preocupación que pudiera causarle la idea de ir a un lugar desconocido.

Haga que su hijo participe en los preparativos de viaje. Permita que su hijo participe en los preparativos y en la ejecución del viaje.

Pídale ayuda en tareas como empacar su ropa, seleccionar los juguetes que va a llevar, llevar el maletín, permanecer al lado de sus padres en la estación terminal, etc.

Establezca normas de conducta que su hijo debe seguir durante la visita que harán próximamente. Antes de partir, dígale a su hijo qué reglas, juegos y actividades están o no están permitidos cuando visiten a la abuelita o a la tía Helen. Por ejemplo, establezca reglas en cuanto al ruido, la exploración y el comportamiento en la piscina y en el restaurante durante las escalas y en los lugares de destino.

Cómo resolver el problema
Lo que se debe hacer

Elogie la buena conducta. Elogie frecuentemente la buena conducta y dé recompensas por permanecer sentados en las sillas de seguridad. Diga, por ejemplo: "Realmente, me alegro de que estés mirando todos esos árboles y esas casas. Es un día verdaderamente esplendoroso. Pronto nos podremos bajar del automóvil y jugar en el parque por haberte quedado sentado en la silla de seguridad sin quejarte".

Detenga la marcha si su hijo se sale de la silla o se desabrocha el cinturón de seguridad. Asegúrese de que su hijo comprenda que usted hará cumplir su regla en cuanto a permanecer sentado en la silla, y que tendrá que sufrir las mismas consecuencias cada vez que desobedezca esa regla.

Practiquen juegos durante el viaje en automóvil. Vayan contando objetos, identifiquen colores y estén a la mira por si ven animales, por ejemplo, para que su hijo tome parte en el proceso de desplazarse de un lugar a otro. El poder de concentración de su hijo no durará mucho tiempo (tampoco el de usted) en un mismo juego, de modo que haga una lista de cosas divertidas antes de partir; haga varios juegos por hora, alternándolos, de modo que ni su hijo ni usted pierdan el interés.

Hagan frecuentes paradas de descanso. Por lo general, su inquieto preescolar se siente en la gloria cuando puede moverse, así que estar encerrado durante horas en un automóvil, avión o tren no va nada bien con su naturaleza aventurera. Asígnele tiempo para que descargue energía en un parque que esté al lado de la carretera, por ejemplo, si no quiere que se rebele verbalmente en el momento menos oportuno o esperado.

Controle el consumo de golosinas en viajes largos. Los alimentos altamente azucarados o que contengan gas carbónico pueden no sólo aumentar el nivel de actividad de un niño, sino también la posibilidad de náuseas. Ofrezca de preferencia alimentos proteínicos o ligeramente salados en pro de la salud y de la felicidad.

Aplique la Regla de la Abuelita. Hágale saber a su hijo que la buena conducta en los viajes le producirá recompensas. Dígale, por ejemplo: "Si te quedas sentado en tu silla y hablas con nosotros sin lloriquear, pararemos dentro de poco para tomar algo", si su hijo se ha estado quejando de sed.

Lo que no se debe hacer

No haga promesas que no esté seguro de cumplir. No sea demasiado específico con respecto a lo que su hijo puede ver en los viajes que emprendan, porque podría insistir en que usted cumpla lo prometido. Si usted dice que es posible que vean un oso en el zoológico, por ejemplo, y no hay tal oso, probablemente oirá lamentaciones cuando se vayan del parque: "Pero tú prometiste que vería un oso".

Las guerras en el automóvil

Jerry y Leah Sterling querían unas vacaciones con la familia que fueran exactamente iguales a las que ellos habían pasado con sus familias cuando jóvenes. Pero viajar con sus hijos, Tracy de tres años y Travis de cinco, más que un viaje de diversión era un castigo.

El asiento trasero del automóvil se convertía en un ring de boxeo, y la gritería de sus hijos siempre conducía a amenazas y luego a palmadas. Pero después de aplicado el castigo, los Sterlings muchas veces quedaban tan furiosos como antes, y habían perdido toda esperanza de encontrar una solución para sus problemas de viaje.

Así que decidieron desarrollar nuevas reglas para viajar y ponerlas a prueba cuando fueran en automóvil a la tienda de víveres, al parque o a las casas de sus amigos. Sacaron todos los juguetes de los niños en busca de unos que fuesen lo suficientemente seguros como para que sus hijos jugaran con ellos sin supervisión, y explicaron la nueva política para viajes en automóvil.

"Niños", comenzaron, "vamos a ir a la tienda de víveres. Si se quedan sentados en sus sillas y hablan con nosotros sin gritar durante todo el camino hasta que lleguemos, pueden escoger su jugo favorito".

Los Sterlings elogiaban a los niños cuando seguían la regla: "Gracias por estar tan calmados. ¡Qué bueno que no estén lloriqueando, ni lastimándose!" Pero esa primera vez, el plan fracasó rotundamente, razón por la cual los niños salieron de la tienda sin la recompensa anunciada.

Sólo se necesitaron otros dos ensayos "locales" para que ambos niños se portaran bien en el automóvil y fueran elogiados por sus esfuerzos y recompensados por su buena conducta.

Dos semanas después, la familia Sterling emprendió su jornada de dos horas a casa de la abuelita, el viaje más largo en automóvil desde que empezaron las sesiones de práctica. Los niños sabían lo que se esperaba de ellos y qué recompensas les aguardaban durante el viaje y en el lugar a donde iban, todo lo cual hizo que atravesar el río e ir por los bosques fuera mucho más divertido.

Oponer resistencia a las sillas de seguridad en el automóvil

Las sillas de seguridad para automóvil y los cinturones de seguridad son el enemigo número uno de millones de preescolares amantes de la libertad. Esos espíritus aventureros no entienden por qué tienen que estar sujetos con cinturones de seguridad, pero *sí pueden* entender la regla de que el automóvil no se pone en marcha si no se han abrochado el cinturón o no están sentados en su silla. Vele por la seguridad de su hija cada vez que se suba a un automóvil, haciéndole cumplir la regla de ponerse el cinturón de seguridad. El uso del cinturón de seguridad se convertirá en un hábito completamente natural para su hija, como pasajera hoy día y como conductora en el día de mañana, siempre y cuando que usted no muestre vacilación con respecto a esta regla de vida o muerte.

Los niños que no lleven cinturón de seguridad serán lanzados hacia adelante si el automóvil se detiene bruscamente. Golpearán cualquier cosa que esté en su camino — el tablero de instrumentos, el parabrisas o el espaldar del asiento delantero — con un impacto equivalente a la caída de una altura de un piso por cada dieciséis kilómetros por hora en la velocidad del automóvil. Aunque el tablero de instrumentos y el espaldar del asiento delantero estén almohadillados, el impacto de un choque a ochenta y ocho kilómetros por hora les puede causar serias lesiones a los niños pequeños.

Revise las sillas de automóvil. Las sillas y los cinturones de seguridad para automóvil, de marca acreditada, llevan especificaciones referentes a peso y edad, para que su hijo viaje lo más seguro posible. Algunas sillas para bebés son demasiado pequeñas para niños mayores; algunos niños pueden y desean usar los cinturones de seguridad o las *booster seats* [sillas de seguridad reforzadas] de fabricación más reciente, en vez de las sillas para bebé.

La principal causa de la mortalidad infantil son los traumatismos

causados por accidentes automovilísticos. En gran parte esos traumatismos podrían haberse evitado si los niños hubieran llevado cinturones
de seguridad. De modo que no transija en cuanto a su regla de
abrocharse los cinturones de seguridad si no quiere poner en peligro
la vida de su hija.

Cómo evitar el problema

Déjele a su hija espacio para respirar y para ver. Cerciórese de que
la silla sea tan cómoda para sentarse y mirar hacia afuera como
la suya. Cerciórese de que los ojos de la niña estén a un nivel
que le permita ver el campo por donde pasan. Revise a ver
cuánto espacio tiene para mover las manos y las piernas, y
cerciórese al mismo tiempo de que las correas la mantengan
firmemente atada a su sillita.

**Fije una regla: El automóvil no se pondrá en marcha a menos que
todos se hayan abrochado los cinturones de seguridad.**
Cuanto más temprano (desde que nace) empiece a hacer cumplir esta regla, tanto más se acostumbrará su hija a la idea de
sentarse en una sillita de seguridad para automóvil o de llevar
un cinturón de seguridad.

**Procure que los medios de seguridad estén de acuerdo con la
edad.** Asegúrese de que su hija sea consciente de por qué le
cambian su silla por una más grande o le permiten usar el
cinturón de seguridad en lugar de la sillita, para que se sienta
orgullosa de estar sujeta. Dígale: "¡Cómo has crecido! Aquí está
tu nueva silla para automóvil".

No se queje de tener que llevar un cinturón de seguridad. Si usted
le comenta a su cónyuge o a un amigo que usted odia ponerse
el cinturón de seguridad sin darle importancia a lo que dice, le
sirve de ejemplo a su hija para oponerse también al uso del
cinturón.

Lleve a cabo un programa de entrenamiento. Den pequeños paseos
en automóvil por el vecindario, en los que uno de los padres o
un amigo conduzca mientras el otro elogia a su hija por quedarse
sentada en la silla de seguridad, para que sepa cómo comportarse en un automóvil. Dígale: "¡Qué bueno que hoy te hayas
dejado puesto el cinturón de seguridad!" o "¡Qué bien estás
sentada!", y acaríciela al mismo tiempo.

Cómo resolver el problema

Lo que se debe hacer

Póngase usted el cinturón de seguridad. Cerciórese de que usted tiene puesto el cinturón de seguridad e indíquele a su hija que el que ella tiene puesto es exactamente igual al suyo, para que tenga la sensación de que no está sola en su encierro temporal. Si usted no tiene puesto el cinturón, su hija no entenderá por qué ella sí tiene que ponérselo.

Elogie a su hija por quedarse sentada con el cinturón abrochado. Si usted no le hace caso a su hija cuando se porta bien al ir en automóvil, ella buscará la forma de atraer su atención, inclusive tratando de salirse de la silla, lo cual, como ella bien sabe, obtendrá una respuesta inmediata de usted. Evite que su hija se meta en dificultades cuando van en automóvil, haciéndole saber, por ejemplo, que usted está "con ella" en el asiento trasero. Háblele y jueguen a adivinar palabras, y alábela por quedarse sentada en su sillita.

Sea consecuente. Pare el automóvil tan rápida y precavidamente como le sea posible cada vez que su hija se salga de su silla o se desabroche el cinturón, para enseñarle que usted hará cumplir su regla. Dígale: "El automóvil puede arrancar nuevamente cuando tú te quedes en tu silla con el cinturón abrochado para que vayas segura".

Distraiga la atención de su hija. Ensaye actividades como juegos de números o palabras, esconder objetos o cantar canciones, por ejemplo, de modo que su hija no trate de salirse de la silla porque necesita algo que hacer.

Lo que no se debe hacer

No le preste atención al comportamiento de su hija, a menos que se desabroche el cinturón o se salga de la silla de seguridad. No hacer caso del llanto o lloriqueo de su hija mientras esté con el cinturón abrochado le ayuda a ver que no gana nada protestando contra la regla de permanecer en la silla con el cinturón abrochado. Dígase usted: "Yo sé que mi hija está más segura en su silla, y sus protestas serán de poca duración. Su seguridad es responsabilidad mía, y la mejor forma de cumplirla es aplicando esta regla".

Alan el desabrochado

A Harry Brenner le encantaba que su hijo Alan de cuatro años lo acompañara a hacer sus diligencias, hasta el día en que descubrió la forma de atraer la atención de su padre desabrochando el cinturón de su silla de seguridad y poniéndose a saltar de un lado para otro en el asiento trasero.

"¡*Nunca* vuelvas a desabrocharte ese cinturón, jovencito!" le ordenó el señor Brenner cuando vio que se había soltado.

Pero el simple hecho de ordenarle a Alan que no se moviera de su sitio no solucionó el problema; así que el señor Brenner decidió que había que imponer un castigo más severo y físico. Aunque nunca le había pegado a su hijo, resolvió darle una palmada rápida en las nalgas cada vez que lo encontraba desabrochado, andando por el asiento trasero.

Para aplicar el castigo, el señor Brenner tenía que parar el automóvil, y cada vez que lo detenía notaba que Alan regresaba de prisa a su silla para evitar que le pegaran. De modo que el señor Brenner decidió ver si bastaba con parar el automóvil y anunciar que no seguirían hasta que Alan se hubiera abrochado el cinturón. Haría que su hijo sufriera las consecuencias de su mala conducta.

Ensayó este nuevo método la siguiente vez que se dirigían al parque: "Podemos ir al parque cuando hayas regresado a tu silla y te hayas abrochado el cinturón", le dijo el señor Brenner. "Si te sales de la silla, tendré que parar el automóvil", continuó. "No vas seguro si no llevas puesto el cinturón".

A unos pocos kilómetros de la casa, Alan deshizo sus ataduras como de costumbre, y el señor Brenner cumplió su parte del pacto parando el automóvil. Esa vez no le pegó; simplemente repitió la nueva regla, esperando que las cosas salieran bien y que Alan regresara a su silla, puesto que sabía que el niño estaba ansioso de ir al parque.

Estaba en lo cierto. Alan regresó a su silla y muy tranquilo volvió a ponerse el cinturón. El señor Brenner le dijo: "Gracias por regresar a tu silla", y continuaron su viaje sin novedad.

Sin embargo, ahí no terminó el problema, y cuando Alan volvió a soltarse, el señor Brenner se enojó tanto que estuvo tentado de volver a gritar y dar alaridos, pero se ciñó a su nuevo método. Al continuar incluyéndolo en sus conversaciones y elogiar su buen comportamiento en el automóvil, nuevamente disfrutó las salidas con su hijo, seguro de que no corrían peligro cuando iban en automóvil.

Apéndice uno
Lista de medidas que usted debe tomar para que su casa sea a prueba de niños

Las estadísticas, por cierto muy alarmantes, indican que los accidentes son la principal causa de muerte de niños, desde que nacen hasta los quince años. La mayor parte de los accidentes sufridos en la infancia son el resultado de la curiosidad normal y saludable de todo niño.

Las posibilidades de sufrir lesiones aumentan a medida que el niño crece. Los riesgos se multiplican cuando el bebé se arrastra, gatea, camina, trepa y explora. A veces los accidentes ocurren cuando los padres ignoran las capacidades y habilidades de su hijo en su etapa específica de desarrollo.

La lista de verificación que se presenta a continuación identifica las medidas que los padres deben tomar para evitar los accidentes domésticos:

☐ Cierre con seguro todos los armarios y cajones que contengan objetos peligrosos, para que el niño no pueda abrirlos.

☐ Gatee por toda la casa en manos y rodillas para que descubra peligros tentadores que haya que eliminar.

☐ Tape las tomas eléctricas no utilizadas con clavijas de plástico diseñadas con este propósito.

☐ Retire los cables de extensión que no utilicen.

☐ Coloque un sofá o una silla grande frente a las tomas eléctricas que tengan cables conductores enchufados.

☐ Si hay mesas pequeñas u otros muebles que no son pesados o que tienen esquinas puntiagudas, guárdelos hasta que su hijo sea mayor.

☐ Guarde en un armario cerrado con llave los productos domésticos peligrosos, como detergentes, líquidos de limpieza, cuchillas de afeitar, fósforos y medicamentos, para que estén fuera del alcance de los niños.

☐ Instale una pantalla apropiada ante el fuego de la chimenea.

☐ Lleve siempre en su automóvil una silla de bebé adecuada.

☐ Revise los juguetes para ver si tienen bordes cortantes o pedazos pequeños que se han partido.

☐ Revise el piso en busca de objetos pequeños que su hijo podría tragarse o con los cuales podría atragantarse.

☐ Instale una reja en la escalera para evitar el juego no supervisado en los escalones.

☐ Nunca deje a su hijo sin vigilancia en la mesa en que lo muda, en la tina, en el sofá, en la cama de usted, en una silla de bebé o en una silla alta, en el piso o en el automóvil.

☐ Tenga a mano jarabe de ipecacuana para provocar el vómito en caso de que su hijo ingiera un veneno no corrosivo.

☐ Ponga objetos pequeños y frágiles fuera del alcance de su hijo.

☐ Mantenga la puerta del baño cerrada a toda hora.

☐ Permanentemente mantenga fuera del alcance de su niño bolsas de plástico y objetos pequeños (alfileres, botones, nueces, bombones duros, dinero, etc.).

☐ Cerciórese de que los juguetes, los muebles y las paredes tengan una capa final de pintura libre de plomo. Examine los rótulos de los juguetes para asegurarse de que no son tóxicos.

☐ Enseñe la palabra *caliente* tan temprano como le sea posible. Mantenga a su hijo alejado de la estufa, la plancha, la chimenea, la estufa de carbón, el asador, los cigarrillos, el encendedor de cigarrillos, y de tasas de té y café caliente.

☐ Siempre ponga las manijas de las ollas hacia adentro cuando esté cocinando.

☐ Mantenga siempre levantadas las barandas de la cuna cuando su bebé (inclusive si es recién nacido) esté en la cuna.

☐ No ponga manteles que cuelguen de la mesa cuando su pequeño hijo esté cerca.

☐ Nunca amarre juguetes a una cuna o a un corral; su bebé podría estrangularse en las cuerdas. Asimismo, nunca cuelgue del cuello de su bebé un chupete de caucho atado a un cordel.

Apéndice dos
Guía nutricional para niños pequeños

A continuación se hacen sugerencias en cuanto a porciones para niños, para ayudarle a usted a decidir qué cantidad debe darle a su hijo. Es mejor darle porciones pequeñas y dejar que él pida que le sirvan otro poco, en vez de darle porciones grandes.

	1 a 2 años	2 a 3 años	3 a 5 años
Leche	Hasta 1/2 taza	Taza o vaso de 6 onzas (3/4 de taza)	Taza o vaso de 6 onzas (3/4 de taza)
Jugo	Hasta 1/2 taza	Vaso de 3 a 4 onzas (1/3 a 1/2 taza)	Vaso de 4 onzas (1/2 taza)
Huevo	1 mediano	1 mediano	1 mediano
Carne	Hasta 1/2 taza de carne desmenuzada	Aproximadamente la cantidad equivalente a un pastelillo de carne cocida de 8 centímetros de diámetro y 1 centímetro de grosor (6 a 7 pastelillos por libra)	Aproximadamente la cantidad equivalente a un pastelillo de carne cocida de 8 centímetros de diámetro y 1 centímetro de grosor (6 a 7 pastelillos por libra)
Cereal	2 cucharadas, cocinado; 1/3 de taza, listo para comer	2 cucharadas, cocinado; 1/3 de taza, listo para comer	1/4 de taza, cocinado; 1/2 taza, listo para comer
Frutas y verduras	1/2 manzana, tomate, naranja de tamaño mediano; 1 a 2 cucharadas de otras clases	1/2 manzana, tomate, naranja de tamaño mediano; 1 a 2 cucharadas de otras clases	1/2 a 1 naranja, tomate, manzana, de tamaño mediano; 4 cucharadas de otras clases
Pan	1/2 tajada	1/2 tajada	1 tajada